CW00406371

COLLECTION FOLIO

Irène Némirovsky

Film parlé

Denoël

Cette nouvelle est extraite du recueil
Les vierges et autres nouvelles (Folio n° 5152).

Irène Némirovsky, née à Kiev en 1903, fut contrainte à un premier exil lorsque, après la Révolution russe, les Soviets mirent à prix la tête de son père, un financier. Après une année passée en Finlande et en Suède, elle s'installe à Paris. Polyglotte, riche de ses expériences et passionnée de littérature, Irène a déjà publié deux romans et quelques nouvelles lorsque, en 1929, elle envoie à Bernard Grasset le manuscrit de *David Golder*. Et Irène devient une personnalité littéraire – injustement oubliée pendant des années – fêtée par les princes de la critique. Henri de Régnier, Tristan Bernard, Paul Morand sont ses familiers. Il ne faudra pas dix ans pour que ce rêve tourne au cauchemar : victime de l'« aryanisation » de l'édition, Irène n'a plus le droit de publier sous son nom tandis qu'il est interdit à Michel, son mari, d'exercer sa profession. Puis la guerre lui arrache de nouveau son foyer, puis la vie. Elle ne vit pas l'exode, mais elle l'observe du village du Morvan où elle trouve refuge, avant d'être déportée à Auschwitz en juillet 1942 où elle est assassinée sans avoir achevé son ultime roman, *Suite française*.

Lisez ou relisez les livres d'Irène Némirovsky en Folio :

SUITE FRANÇAISE (Folio n° 4346 et Folioplus classiques n° 149)

LE MAÎTRE DES ÂMES (Folio n° 4477)

IDA *suivi de* LA COMÉDIE BOURGEOISE (Folio 2 € n° 4556)
CHALEUR DU SANG (Folio n° 4721)
LES VIERGES *et autres nouvelles* (Folio n° 5152)
LE MALENTENDU (Folio n° 5286)

Brouhaha confus et doux qui enfle et se rapproche rapidement comme une houle sur la mer. Il pleut. Les hautes maisons sont noyées d'ombre et de brouillard ; un phare d'auto énorme passe, troue la brume ; des trottoirs mouillés, le toit de l'Opéra brillent sous l'averse comme de sombres miroirs. C'est Paris, à la fin de mars, au crépuscule. Les lumières tournent si vite qu'on ne distingue rien qu'un torrent de flammes. Puis des mots, toujours les mêmes, surgissent, se rapprochent et grossissent démesurément ; ils tremblent à travers la pluie. Bar, Hôtel, Dancing. Au moment où s'apaisent les cris des klaxons, on aperçoit une rue noire, vide, mouillée. Des lettres brillent de haut en bas et s'éteignent. Willy's Bar. La porte tourne avec un vrombissement de ventilateur. La petite pièce profonde est ornée de glaces, meublée de divans de velours, de tables. Au milieu de la pièce, sur un tabouret, un nègre joue en sourdine. On entend le bruit de la pluie dès que s'ouvre et s'abat la porte et, tout le temps, le grincement léger du banjo ; le nègre siffle à peine, les lèvres serrées, la tête penchée de côté, comme un oiseau attentif. Quatre heures battent. Derrière le bar, le patron lit son journal et sommeille. Sur les banquettes, des femmes sont assises ; elles ont un air résigné, dolent, abruti. Les unes dorment à moitié, affalées, la cigarette à la bouche. Une grosse femme, la poitrine énorme, sanglée dans un costume tailleur de coupe masculine, faux col dur, le cigare aux lèvres, tricote avec application. Une petite femme, juchée sur un tabouret, suce un cocktail ; elle porte un collier de perles qu'elle accroche des mains comme un jeune chien qui se prend maladroitement les pattes dans les franges d'un fauteuil. Une autre jeune femme joue au poker-dice avec le barman. Une encore, maigre, voûtée, tousse. Calme, silence. Aspect de pension de famille. Une naine avec un grand chapeau orné de fleurs, des cheveux qui déteignent, un tour de cou pelé, misérable, s'insinue. On entend : « Zut ! la mère Sarah. » Elle s'assied entre deux très jeunes filles, pose son cabas sur la table, avance une figure de sorcière.

— Eh bien, ma petite, ce n'est pas gentil, ce n'est pas sérieux ce que tu fais là… Voilà un monsieur convenable, un monsieur riche, âgé, respectable, que je te trouve Dieu sait avec quelles difficultés, et tu le fais poireauter chez moi tout l'après-midi. De quoi ça a l'air, je te demande ?…

La femme, très jeune, une figure grosse comme le poing, des yeux longs, humides et doux de brebis, murmure :

— Y me dégoûtait trop aussi…

— Moi, ma petite, ce que j'en ai fait, c'était pour t'obliger, n'est-ce pas ? Si tu vois un autre moyen de me rendre ce que tu me dois…

— Eh, je vous le rendrai, votre argent…

— À la Saint-Glin-Glin ? Tant pis, je parlerai à ton ami…

La femme frémit, baisse la tête, souffle :

— Non, non, je viendrai, je…

— C'est bon, tu feras ce que tu voudras. Est-ce que ça me regarde ?

Une fille passe, jette :

— Eh, la mère Sarah ! Ça vaut combien, ça ? Tu veux l'acheter ? Mais il me faut l'argent tout de suite.

— Tout de suite, tout de suite… Elles n'ont que ce mot-là à la bouche…

Elle saisit la bague tendue, souffle dessus,

la fait briller, la contemple, le nez écrasé contre les pierres.

Éliane entre. Elle porte un manteau noir, un chapeau noir, sans ornements ; elle tient un parapluie à la main. Elle a un air négligé, lassé, de mollesse, d'abandon, un parfum de lit défait. Elle roule entre ses mains son chapeau, le jette sur la table, puis fourrage dans ses courts cheveux blonds, s'assied, fait un signe au barman. Il agite le shaker.

— Ça va, madame Éliane ?...

Elle répond « oui », d'un signe de tête. Elle a un beau collier de perles enroulé deux fois autour du cou. On la salue avec une sorte d'empressement, de déférence.

— Ça va toujours ? Ça va comme vous voulez, madame Éliane ?

Elle sourit d'un petit pli forcé des lèvres, appuie sa joue sur sa main, écoute le nègre. Cinq heures sonnent. Les courtisanes, toutes ensemble, se redressent, se poudrent. La grosse femme en tailleur cache vivement son tricot et met un monocle. Tous les yeux se tournent vers la porte avec une expression avide et angoissée. Mais seules entrent des femmes qui vont s'asseoir à leurs places accoutumées comme des vendeuses derrière leurs comptoirs. La naine se lève. Elle passe devant Éliane et s'arrête, comme fascinée par les perles entrevues. Elle s'avance à petits pas, se juche avec peine sur le tabouret en face d'Éliane, saisit les perles pendantes, les porte à sa bouche, en fait craquer une sous les dents. Autour d'elle, on rit. Éliane caresse son collier, les yeux mi-clos. La naine hoche la tête avec admiration.

— Quand tu voudras bazarder ça, pense à moi. Je connais quelqu'un qui l'achèterait...

Éliane arrache le collier d'un brusque mouvement, se détourne. La naine se lève, glisse à terre et sort. On la voit à travers la vitre qui rejoint une femme immobile, sous un bec de gaz allumé, une créature effrayante, aux yeux fixes, aux longues dents de cadavre. Elles s'enfoncent toutes les deux dans la pluie, dans la nuit. La petite qui jouait aux dés s'est approchée d'Éliane et regarde comme elle, ainsi que celle qui buvait en tripotant son collier de perles ; elles sont joue à joue. Éliane, fixement, les contemple, et, sous son regard, les deux visages, un instant, semblent se déformer, se flétrir, devenir des masques affamés de vieilles femmes misérables. Éliane saisit brusquement son collier, le serre. L'image disparaît. Elle boit et d'une main fait couler les perles sur la table, semble regarder à travers elles. Des traits d'homme apparaissent l'espace d'une seconde ; d'abord communs, quelconques, souriants, qui se tordent tout d'un coup, grimacent, sous l'effort du plaisir, se transforment en figures de cauchemar et de folie. L'une surtout, d'un vieil homme à barbe blanche, calme, vénérable, surgit plusieurs fois et toujours plus effrayante avec une bouche énorme et molle tendue dans un baiser. Elles s'évanouissent. Le collier coule comme un fleuve brillant, fait miroiter l'image d'une maison blanche, d'un grand jardin et d'Éliane elle-même, vieillie, avec une jupe noire qui balaie l'allée ; elle s'appuie au bras d'une jeune fille. L'avenir… Éliane sourit à son rêve. Un profil de jeune fille, pur et grave, est incliné sur un livre, avec une expression de bonheur et de paix. La musique nègre, de plus en plus forte et sauvage, est traversée brusquement de grands coups de cloche et d'orgue, lutte un instant, puis s'évanouit. On entend seulement les cloches, mais le son devient plus pauvre, plus mesquin ; c'est une église de province, après la messe.

Petite place morne, grise. Une auto passe en trombe ; le bruit s'abat, grandit et disparaît ; la poussière soulevée retombe avec une extrême lenteur, et les oiseaux qui s'étaient dispersés en criant reviennent tranquillement et picorent. Des voix d'enfants. Un piano frappé par des mains malhabiles ; une vieille valse qui se brise en arrivant à un passage plus difficile et qu'on reprend patiemment, qui se brise de nouveau et ainsi sans fin. On devine que la femme joue tout au long d'interminables heures. M. le curé sort de l'église, traverse la place avec le frôlement léger d'un chat glissant sur les pierres. De vieilles filles en mante rentrent chez elles, les mains jointes, avec une expression fermée et confite de communiantes. Et à chaque porte qui s'ouvre et se referme sur la place, on entend le bruit du heurtoir, un son vibrant, grave, comme s'il s'abattait pour l'éternité.

Une femme en deuil, un peu bossue, et une jeune fille sont sorties les dernières. On les salue, mais de loin, avec une certaine réserve, en pinçant les lèvres, et, quand elles sont passées, un sillage de chuchotements légers semble s'ouvrir et retomber derrière elles. On les suit des yeux, on hoche la tête ; puis toutes se dispersent, et un chat traverse le parvis avec lenteur, en appuyant à peine les pattes sur les vieilles dalles. La place est déserte à perte de vue. À travers les volets à demi clos, on entrevoit vaguement des tables servies, des visages d'enfants, des bonnes en coiffe qui servent le rôti, des hommes en bras de chemise, le coin de la serviette glissé dans le gilet, et le petit bruit dominical de vaisselle heurtée doucement se mêle à la valse interrompue, la souligne et l'accompagne.

La vieille femme et la petite sont entrées dans un petit magasin, moitié mercerie, moitié cabinet de lecture. Tintement grêle de la sonnette. Elles passent dans l'arrière-boutique. Au mur, une photo encadrée représente un gros homme à épaisse moustache noire qui offre le bras en l'arrondissant et en l'écartant du corps à une jeune mariée au sourire de poupée de bois. D'autres photographies. Une première communiante agenouillée sur un prie-Dieu, un jeune homme en tenue de soldat. Au-dessus de la table, il y a une suspension de porcelaine que la vieille allume ; le jet de gaz siffle brusquement, éclaire la fillette. Elle a seize ans ; elle porte un costume tailleur de forme ancienne avec une jaquette aux basques évasées, cintrée à la taille, une jupe à mi-mollet, d'épaisses bottines plates et un chapeau-cloche énorme orné de crêpe. Ses cheveux sont clairs, longs, plats, et, quand elle ôte son chapeau, on voit qu'ils sont noués à l'ancienne mode sur le sommet de la tête par un large ruban noir. Elle enlève avec soin ses gants de filoselle, les plie, les met dans un tiroir avec son paroissien. Elle est jolie. Un petit visage pâle et dur, des lèvres serrées, aux coins tombants. Comme elle semble rêver, la femme appelle : « Anne ! » Elle sursaute, se dirige vers la cuisine, revient avec un plat ; elles se mettent à table. Elles se taisent ; on entend seulement le cliquetis des fourchettes. La sonnette tinte. De nouveau : « Anne ! » Ce sont des clientes. Une dame très grosse et importante, en noir, des jeunes filles ; en apercevant Anne, la mère paraît mécontente et dit :

— Appelez votre tante, s'il vous plaît.

Les petites demoiselles ricanent et se poussent du coude. Mais déjà, de l'arrière-boutique, la tante a surgi et renvoie Anne. Lentement, Anne rentre. Mais à travers la porte vitrée, elle regarde avec une expression amère la dame qui parle bas à sa tante et leurs figures pincées et désolées. La cliente s'assied devant le comptoir et choisit des modèles de tricot. Pendant ce temps, un régiment traverse la place. Les jeunes filles avidement tendent le cou, mais sans oser faire un pas vers la fenêtre ouverte. Les soldats passent, et chacun fait un signe, lance un coup d'œil et un sourire aux petites demoiselles qui baissent les yeux, font la moue, des petites mines. Anne regarde. Enfin les clientes sont parties. La musique militaire s'éloigne et se perd.

— Anne.

Anne enlève les couverts et va laver la vaisselle.

La tante écrit une lettre. De nouveau, la petite sonnette tinte à la porte. Cette fois-ci, la tante se précipite. C'est une très vieille dame appuyée au bras d'un énorme laquais qui la soutient. Anne, tout en frottant les assiettes, regarde la lettre oubliée sur la table ; elle s'avance à petits pas, lit :

Ma chère sœur,

J'ai bien reçu la pension d'Anne. Mais je te serai reconnaissante de m'envoyer le mois prochain deux cents francs en supplément. La chère petite désire une robe neuve. Il est naturel, à son âge, d'être coquette. De plus, elle sort beaucoup, car nous voyons la meilleure société de la ville et…

Dans le petit magasin, la vieille dame, lourdement, se soulève. Anne, d'une main tremblante, retourne l'enveloppe, lit : *Madame Éliane Bernard, 30, rue de Châteaudun, Paris.* Elle revient dans la cuisine. Comme la tante se rassied et reprend la lettre en lui tournant le dos, Anne lui tend le poing et grimace de haine. Un peu plus tard, elle est assise devant la fenêtre, la joue appuyée dans sa main. Elle regarde la place vide, le ciel vide. Doucement, elle se lève, gagne le magasin désert et, tâtonnant dans la demi-obscurité, laisse glisser ses doigts le long des livres, en tire un vivement et revient dans la chambre, se met à lire avec avidité et crainte. Le titre est écrit à l'encre sur la couverture en papier : *A. Dumas fils, La Dame aux camélias.* Tandis qu'elle lit, elle imagine des femmes élégantes et de beaux messieurs dans un parc. Il y a une table servie sous les arbres ; des bougies vacillent au vent. Elle entend bruire les feuilles et couler l'eau des fontaines. Puis les bouchons de champagne sautent et la mousse coule dans les verres ; des Tziganes jouent, et dans l'ombre, la lumière de la lune entre les branches fait miroiter le bois des violons. Anne laisse retomber le livre, regarde fixement la fenêtre, la place déserte. C'est le crépuscule, et la petite ville paraît plus resserrée encore et misérable. Quelque part un orgue de Barbarie répète le refrain des violons, puis se tait ; on entend le bruit des gros sous qui tombent sur les pavés. Anne tord silencieusement les mains avec une expression d'ennui désespéré.

La nuit est vide et vaste ; les nuages passent, semblent se déformer, montrent vaguement des silhouettes de grands bateaux, de trains, de femmes qui se penchent, de perles brillantes, puis d'une tête de femme échevelée, renversée.

Tandis qu'Anne lit, des pas derrière elle grincent sur les lames nues du parquet. Debout d'un bond, elle fait un mouvement maladroit et peureux pour cacher le livre, mais il tombe.

La tante se précipite, le ramasse, s'exclame d'une voix sifflante :

— *La Dame aux camélias !* Petite vicieuse ! Mais ça ne m'étonne pas ! Ta mère n'est qu'une gourgandine ! Tu finiras comme elle !

Brusquement, Anne se jette en avant, les poings tendus. Sa tante la maîtrise, la rattrape par le bras. Elles se tiennent l'une en face de l'autre, se regardent dans les yeux avec une expression de haine. Anne crie :

— Je vous déteste ! Je vous déteste ! Vous êtes jalouse de maman parce que vous êtes laide, vieille, bossue. Elle est jolie, elle, les hommes l'aiment... Jamais un homme ne vous a embrassée, vous, vieille fille, laide, méchante !...

Le claquement sec d'un soufflet.

— Oh ! Petit serpent ! Va donc la retrouver, cette créature.

Elle pousse furieusement hors de la pièce Anne qui crie d'une voix de petite fille vibrante, aiguë :

— Je vous déteste, je vous déteste.

Un bruit de portes fermées violemment, de clef tournée dans la serrure. Le silence. L'orgue de Barbarie dans la cour recommence à jouer. Dans la chambre d'Anne, il fait complètement nuit. Elle se serre dans l'angle que forment le mur et la fenêtre, comme une enfant oubliée sous la pluie, sous une porte. Très loin, dans le silence absolu, on entend le sifflement pur et perçant d'un train qui passe. Puis c'est une petite gare de province. Le bruit d'une charrette poussée par l'homme d'équipe, le grondement des malles qu'on décharge. Une petite ombre – Anne – passe et repasse. Elle s'éloigne et sort de l'auvent. La lumière terne et pauvre d'un bec de gaz éclaire sa robe et ses cheveux. Le vent fait claquer son manteau ; elle revient, regarde l'heure avec anxiété. Enfin, le petit grelottement de la sonnette. Le bruit du train. Un fracas de fer battu. Le train apparaît, s'arrête, attend une seconde en soufflant du feu et de la fumée. Anne se hâte, grimpe dans un compartiment de troisième classe. Les portières s'abattent. Le train repart. Les rails brillants luisent faiblement dans la nuit. Anne regarde avidement le reflet pourpre sur le ciel du côté de Paris ; un zigzag fulgurant : la tour Eiffel illuminée, puis le sifflement de la chaudière, jaillissant d'abord en jets de flammes, devient doux comme le bruit de l'eau qui bout sur le feu.

Devant la maison d'Éliane, sur le pas de la porte, la concierge renseigne Anne immobile.

— À cette heure-ci, elle n'est jamais là, elle est au Willy's Bar, 18, rue du Port-Mahon. Je ne peux pas vous laisser entrer. Je n'ai pas d'ordres.

Elle rentre chez elle, ferme brusquement la porte de sa loge. Anne hésite un instant ; elle semble très lasse ; elle ôte son chapeau trop lourd et qui l'accable. Mais d'un coin d'ombre, la silhouette d'un agent s'est détachée. Anne prend peur, fait un mouvement de bête poursuivie, se remet à marcher péniblement le long du mur. On la voit s'éloigner dans la rue vide et se perdre. Le refrain du jazz reprend, lointain d'abord, assourdi, puis sauvage et strident. Une épaisse fumée s'envole lentement. C'est le bar de nouveau. Mais il est près de sept heures et la petite salle est comble. Des hommes grimpés autour du comptoir sur les hauts tabourets boivent et s'interpellent à voix haute. Rires. Cris de femme. Tous parlent et rient en même temps. On ne distingue pas les paroles, mais un vacarme confus, mêlé du bruit des shakers, des poker-dice tombant dans les plateaux, de la musique nègre. Des hommes ivres battent la mesure avec leurs cannes sur le comptoir. Les filles se bousculent sur les banquettes. La jeune femme au collier de perles, à moitié couchée en avant sur une table, son menton dans ses mains, interpelle de loin un gros homme à la fraîche figure d'Américain, qui rit, fait tourner son chapeau au bout de sa canne, montre ses dents énormes, carrées, pleines d'or. Éliane est serrée dans les bras d'un Argentin ; il semble fait tout entier de cuir foncé ; il lui dévore la nuque de baisers, et, d'abord ainsi, à demi écrasée par les lourdes mains, ses cheveux d'or défaits, elle semble pâmée de volupté ; puis les bras de l'homme descendent, légèrement, et on aperçoit le visage d'Éliane ; une petite grimace d'impatience tord ses lèvres ; une mèche de ses cheveux s'est enroulée autour du bouton de manchette de l'Argentin ; Éliane s'efforce de la dénouer doucement ; ses mains tremblent d'énervement, et son visage, un instant, prend une expression de colère et de souffrance. Mais elle aperçoit la grosse perle luisante de la manchette et, immédiatement, elle lève la tête, tend sa bouche à l'étranger. Le nègre chante. Personne ne l'écoute. Dans un coin, accoudé au bar, un garçon de vingt ans, assez mal vêtu, avec une figure imberbe et pâle, fume en lisant un journal de courses. Il parcourt du regard la feuille, puis marque au crayon deux ou trois noms de chevaux ; enfin il hésite, se penche, fait signe au barman par-dessus le comptoir et lui désigne le journal. Ils parlent tous les deux à voix basse. Derrière eux, la porte s'ouvre avec lenteur, comme poussée par une main hésitante.

Le jeune homme et le barman se retournent

et regardent la porte entrouverte avec la même expression d'impatience. Enfin Anne paraît. Comme un coup en pleine figure, la fumée, les rires et les chansons s'abattent sur elle ; elle a un mouvement affolé, les coins de sa bouche tremblent et s'abaissent, lui donnant un instant le visage pitoyable d'une enfant qui va éclater en pleurs. Puis elle semble se raidir, se ramasser tout entière ; elle avance d'un pas ; le barman jette :

— Vous désirez, mademoiselle ?

— Madame Bernard, s'il vous plaît.

Le barman fait la moue.

— Quoi ? Nous ne connaissons pas ça ici. Vous devez vous tromper.

Il fait un mouvement pour refermer la porte derrière Anne, mais elle répète :

— On m'a dit qu'elle était toujours ici, à cette heure-ci, au Willy's Bar. C'est bien le Willy's Bar ?

— Mais oui, mais quel nom dites-vous ?

— Madame Bernard. Madame Éliane Bernard.

Le barman hésite, répond d'une voix différente :

— Ah, oui, je vois... Attendez un peu...

Anne reste debout immobile, baissant la tête. Mais, comme malgré elle, ses yeux suivent le barman qui se fraye avec peine un passage à travers les groupes et s'approche d'Éliane. Quand il se penche vers Éliane, Anne fait un brusque mouvement et enfonce ses dents dans ses lèvres ; elle voit la tête blonde, ébouriffée d'Éliane qui se soulève péniblement ; leurs yeux se rencontrent ; elles restent un long moment immobiles, se regardant fixement à travers la fumée, par-dessus les figures ivres et stupides. Enfin Éliane se dresse, s'arrache des bras de l'Argentin, s'avance. Maintenant elles sont face à face, mais elles continuent à se dévisager sans parler, avec une honte et une sorte de crainte croissantes. Enfin Éliane murmure :

— C'est moi que vous demandez ?

Anne lève la tête.

— Oui, madame.

Elle achève avec effort :

— Je suis Anne. Anne Bernard, votre fille.

Éliane fait un mouvement violent, comme si un coup l'atteignait en pleine figure. Elle balbutie :

— Pourquoi es-tu ici ?

— Je me suis échappée, jette brusquement Anne avec une expression de défi et de haine.

Éliane la saisit par la main, veut l'entraîner.

— Allons-nous-en, je t'en supplie, ne restons pas ici...

Mais Anne résiste, murmure :

— Je vous en prie… est-ce que je ne pourrai pas m'asseoir un petit moment ? Je suis si fatiguée… Je n'avais plus assez d'argent pour prendre une voiture. J'ai marché tout le temps.

À côté du bar, il y a une petite porte, à demi dissimulée par une tenture. Éliane écarte rapidement le rideau, pousse Anne devant elle. Elles se trouvent dans une pièce vide, sombre, ornée de glaces et de divans. Seules deux ampoules électriques brillent faiblement de chaque côté du miroir pendu au mur. Elles s'asseyent. Éliane, à la dérobée, regarde avidement le visage de sa fille. Mais Anne détourne les yeux, se tait. On entend dans la chambre voisine la musique nègre de plus en plus bruyante et machinale. Puis une querelle éclate, des rires hystériques, enfin le bruit des couteaux, frappés en cadence sur les tables, sur l'air des lampions. É-lia-ne !… É-lia-ne !… Tout à coup le silence. Sans doute le barman les a-t-il fait taire. Le nègre, comme une mécanique aveugle, dévide sa musique américaine. Éliane enfin murmure :

— Oh, Anne, qu'est-ce que tu as fait ?

Anne baisse davantage la tête ; on ne voit pas sa figure. On voit seulement ses mains qui jouent nerveusement avec les couteaux à dessert jetés sur la table. Des mains de fillette, d'écolière, abîmées par les travaux de ménage, l'index piqué de coups d'aiguille et les ongles coupés ras. Éliane, comme malgré elle, les contemple, et elle-même tord silencieusement, d'un geste identique, ses doigts minces, blancs, que l'oisiveté et les soins parent d'une sorte d'aristocratique langueur. Elle répète :

— Anne, mon Dieu, pourquoi as-tu fait ça ?

Enfin Anne répond :

— J'étais trop malheureuse.

Elle a levé la tête et elle regarde Éliane avec une expression froide et dure qui la vieillit brusquement. Éliane murmure :

— Mais je faisais tout ce que je pouvais. Ta tante disait que tu étais heureuse.

— Elle mentait. Elle volait votre argent. Moi, elle me faisait travailler comme une domestique. Oh… ça m'est égal… je ne suis pas paresseuse… Mais c'était injuste. Je ne retournerai pas chez elle. Jamais. Je veux rester avec vous. Vous êtes ma mère. On n'a pas le droit d'avoir des enfants pour faire leur malheur.

Éliane cache sa figure dans ses mains. Enfin elle dit à voix basse :

— Non, non, je ne peux pas te garder… Tu ne sais donc pas ?…

— Si, si, je sais, ça m'est égal…

Éliane a un mouvement de stupeur.

— Tu sais ?…

— Oh, depuis longtemps… Elle me le disait sans cesse pour me faire mal… Mais ça m'est égal… Moi aussi, je veux…

Éliane l'interrompt.

— Ça, jamais.

— Si. Je veux être comme vous. Belle, heureuse, aimée…

Elle répète doucement, ardemment :

— Aimée…

Éliane hausse tristement les épaules.

— Ah, ma pauvre fille…

Un silence. À côté, les cris, les rires deviennent plus bruyants, grinçants et faux. Éliane tressaille, se lève, commande à voix basse :

— Viens.

Elles sortent toutes les deux par une porte dérobée qui donne sur la rue. Un taxi passe et s'arrête. L'image de la pièce s'efface. Seules les ampoules électriques allumées de chaque côté du miroir brillent un moment et la glace semble se creuser et se remplir d'ombre. Puis elle grandit, change de forme, apparaît au pied du lit, dans la chambre d'Éliane. Un lit immense surmonté d'un dais de velours, avec des amours en bronze qui tiennent à la main des flambeaux et des cornes d'abondance renversées. Désordre, poussière. Quelques photographies d'hommes, fixées dans la rainure de la cheminée. Assise sur le bord du lit, Anne tient une assiette sur ses genoux et mord avidement dans un morceau de pain et de galantine. Tandis qu'elle mange, Éliane est debout, adossée à la coiffeuse. Elle observe sa fille presque durement. Anne, rassasiée, repose l'assiette et sourit avec un peu de gêne. Éliane s'approche, s'assied sur le lit, met doucement sa main sur le front d'Anne, la caresse avec une sorte de timidité, lisse en arrière les cheveux. Enfin, avec une expression d'agitation et de souffrance, elle murmure :

— Anne.

— Oui, madame.

— Il faut m'appeler maman.

Anne se tait.

Éliane continue, presque suppliante.

— Tu as parlé comme une enfant tout à l'heure.

Anne secoue doucement la tête.

— Écoute, nous allons partir toutes les deux. Nous irons où tu voudras. Dans une ville calme, tranquille, où personne ne nous connaîtra. Je vendrai mes perles. C'est toute ma fortune. C'est pour cela que j'amassais, pour vivre heureuses et tranquilles toutes les deux plus tard.

Anne se tait. De nouveau, Éliane appelle :

— Anne, ma chérie ?... Tu veux bien, n'est-ce pas ?

Elle répète avec supplication, avec désespoir.

— Une bonne petite vie, bien calme, bien tranquille… n'est-ce pas, ma chérie ?

Anne a un mouvement de recul. Elle dit d'une voix basse et nette :

— Non.

— Mais pourquoi ? pourquoi ?

— Je suis saturée de calme et de tranquillité. C'est vivre que je veux. Vivre.

Éliane hausse tristement les épaules. Elle veut parler, mais elle regarde Anne et elle fait un geste las de la main. Anne appuie sa tête contre le coussin et ferme les yeux. Doucement, Éliane s'approche d'elle et écarte les cheveux défaits qui tombent sur les paupières ; de très près, elle regarde avec une sorte d'émerveillement la peau, les yeux d'Anne. Enfin, elle soupire, se lève, ouvre le tiroir de la commode, prend une chemise de nuit, revient vers Anne, l'aide à se déshabiller, tout cela en silence. Anne est à moitié endormie. Quand elle laisse tomber son visage sur l'oreiller, elle a un sourire d'enfant confiant, et immédiatement elle s'endort. Éliane reste assise, affaissée, la tête dans ses mains et songe ; un peu plus tard, on entend le bruit assourdi d'un gramophone qui tourne dans l'appartement voisin ; on devine la maison peuplée de garçonnières, de meublés. Anne se réveille en sursaut, puis se rendort, du même sommeil profond et souriant. À côté d'elle, Éliane est couchée, les yeux grands ouverts et la figure ravagée, trempée de larmes.

Près de midi. La chambre est encore sombre. Mais au plafond on voit les lames d'or des volets ; une lettre est posée sur la coiffeuse, entre deux pots de fard. Anne la lit, avec une expression joyeuse.

Je ne rentrerai pas à la maison. Tu trouveras de l'argent dans le tiroir de la table de nuit. Va au restaurant ou commande quelque chose à Germaine. – P.-S. Pour sortir, prends une de mes robes. Elles t'iront bien. Nous sommes de la même taille.

Sur le seuil, Germaine se polit les ongles. C'est une petite bonne dépeignée avec une figure peinte, des pantoufles trouées ; elle sourit aimablement. Anne demande :

— C'est vous qui faites la cuisine ?

— Oui, m'dame. Il y a une boîte de sardines et un reste de jambon. Ça va comme ça ?

— Oui, très bien.

— Vous vous habillez, m'dame ?

Elle ouvre un placard.

— Je vais vous préparer un bain.

Elle veut suivre Anne dans la salle de bains.

Anne la regarde d'un air gêné et un peu sauvage, puis dit :

— Laissez-moi, je n'ai besoin de rien.

Germaine sourit.

— Oh ! bien, m'dame.

La porte de la salle de bains est fermée à clef ; Germaine rit silencieusement et commence à refaire le lit, sans changer les draps ni le sommier de place, mais en quelques coups de poing qui tassent les oreillers et les couvertures. Elle chante. Elle a une voix perçante, jeune, mais déjà enrouée, brûlée.

Paris. De nouveau, le bruit, le brouhaha, mais joyeux, tumultueux ; un beau jour de mars, la brusque chaleur d'un bref printemps. À cette musique ardente, allègre, éternelle, qui flotte dans l'air de la ville, se mêle une petite mélodie lointaine, à peine perceptible, faite d'un millier d'airs populaires, à peine fredonnés, comme sifflotés moqueusement, abandonnés, puis repris. Rue de la Paix. On voit les grands magasins, avec leurs enseignes fameuses ; on entend les bribes de conversation des gens qui passent et s'arrêtent aux devantures.

— *Don't you think it's nice ?...*

— *Wie schön...*

— *Yo quero...*

— *Como me gusta...*

Anne passe. Elle est gentiment et simplement

vêtue. Elle porte le chapeau, les souliers de sa mère, un de ses manteaux. Devant chaque glace de magasin, elle s'arrête une seconde, se regarde avec une expression de surprise joyeuse, puis recommence à flâner. Elle dévore des yeux les bijoux, les robes, la ville entière. Mais quand les hommes, en passant, la dévisagent, elle a un petit mouvement à peine indiqué de timidité, un sauvage et naïf recul. Les boulevards. Elle les remonte ; elle passe devant les cafés pleins de monde ; elle les regarde aussi avec une curiosité amusée, puis va toujours plus loin. La nuit commence à tomber, et Paris, brusquement, s'allume et miroite. Les enseignes lumineuses tournent, dansent. Un bruit de haut-parleur à la porte des cinémas, devant *Le Matin.* La foule est plus brutale, moins pressée, lasse. Anne avance lentement, avec une sorte de gaucherie ; elle est poussée, heurtée. Des figures apparaissent l'éclair d'un instant et se perdent ; des visages d'hommes et de femmes, sans pensée ni désir, tristes, usés, puis d'autres, plus méchants et effrayants. Un homme, avec une carrure et des mains rouges de boucher, un diamant faux, énorme, à la cravate, et les cheveux gras, lustrés, sous le melon rejeté en arrière, a aperçu Anne, et il fait un mouvement vers elle, rompant le flux régulier de la foule.

Anne a un tressaillement et fonce, tête baissée, droit devant elle. L'homme hausse les épaules et disparaît. Mais Anne va toujours ; elle court ; elle bouscule des femmes affairées qui la repoussent avec mauvaise humeur. À présent, elle a franchi la zone populeuse des boulevards. Il fait complètement nuit. Elle va plus lentement. Elle trébuche un peu sur ses hauts talons ; elle est lasse. Devant elle, une fille en grand chapeau rouge va et vient, cherche un client dans l'ombre. Comme elle passe devant Anne, on voit la forme de sa bouche fardée à l'excès, et ses yeux de bête battue. Elle semble regarder à travers Anne, sans la voir. Enfin quelqu'un apparaît.

La fille s'avance, chuchote à voix basse ; l'homme la repousse de sa canne, avec une expression de dégoût comme s'il renvoyait un chien. Elle crie de loin une injure incompréhensible d'une voix enrouée, brûlée, éclate de rire et recommence à marcher en se déhanchant avec une sorte de canaillerie artificielle, de fausse et froide impudeur.

Rue de Châteaudun, Anne rentre ; elle ne regarde plus rien. Elle a un visage dur et troublé. Mais, d'une rue en pente, précédées d'une sœur en cornette, descendent les élèves d'un orphelinat. Les petites filles sont vêtues, comme Anne la veille, avec d'énormes chapeaux noirs juchés sur le haut de leur tête et de grosses bottines. Anne s'arrête ; les plus petites, avec leur piétinement de troupeau, suivent la sœur sans se retourner. Les grandes vont deux par deux. Elles dévisagent avidement Anne. Et Anne, avec une expression d'orgueil et de plaisir, se laisse contempler et sourit. La sœur s'est arrêtée ; elle frappe dans ses mains, fait hâter le pas aux fillettes, pince les lèvres en passant devant Anne. Anne, silencieusement, un peu méchamment, rit. Tandis que le pensionnat s'éloigne, elle rentre ; on entend le bruit de la porte cochère qui retombe, un pas vif dans l'escalier, le bonjour de la concierge et la voix claire d'Anne :

— Bonjour, madame, quel beau temps…

Au bar, Éliane, Célia, la vieille femme au monocle et Ada, la fille poitrinaire, sont assises sur les hauts tabourets, boivent, fument et discutent. Les lampes sont allumées comme à l'ordinaire, mais le soleil brille sur le seuil. Le patron dit :

— Tu as tort, Éliane, c'est une occasion comme jamais. C'est un Argentin riche à millions, jeune et beau avec ça. Je me demande ce qu'il lui faut encore à ta princesse.

Éliane hausse les épaules ; elle semble triste et vieillie. Célia, de sa voix de basse, renchérit :

— Il a été quinze jours avec Nonoche ; elle

pleurait comme une Madeleine quand il est parti. Jeune, généreux et tout…

— Oui, dit Ada, et les hommes sont si rares.

Éliane éclate :

— La folle, la sotte !… Jolie comme elle est et fine, et distinguée, elle pourrait se marier, être heureuse, vivre tranquille… Mais qu'est-ce qu'elle a dans la peau, je me demande ?… Moi, à son âge, je crevais de faim… Alors, il a bien fallu…

Ada, entre deux quintes de toux, murmure :

— Moi aussi…

— C'est ta faute, dit Célia avec son gros rire d'homme, tu la fourres dans ce trou perdu de province, où tout le monde lui fait la tête parce qu'on sait que sa mère fait la noce à Paris… Elle en a assez, cette petite, ça se comprend…

Éliane écrase nerveusement ses larmes au coin des paupières.

— J'ai cru bien faire…

Célia frappe du plat de la main sur la table et appelle le barman, d'une voix rude et cordiale :

— Du feu, Édouard…

Elle allume un cigare, souffle un jet de fumée, tousse pour s'éclaircir la voix, achève :

— Il n'y a rien à faire contre le sort. Le mariage, pour elle, c'est des blagues. Tu te vois à l'église ?

Le patron se lève, va chercher une bouteille de champagne. Il remplit le verre d'Éliane ; elle boit machinalement, il dit :

— Tant qu'à faire, il vaut mieux commencer jeune...

Plus tard. Aspect de fête au bar. On vient de dîner. Les tables sont couvertes de vaisselle salie, de verres bousculés, de fleurs fanées, les bouts de cigarette traînent à terre ; à la place d'honneur, parmi les filles ivres, parées, Anne est assise, silencieuse, mais visiblement troublée et grisée ; elle serre la bouche, ses narines, ses paupières battent. À côté d'elle, un Argentin assez jeune, très beau, avec ses cheveux bleus et ses larges yeux humides lui baise les mains, laisse glisser son front sur les doigts minces, enfantins, qui frémissent et semblent se rétracter comme des fleurs. Elle le regarde ; elle a une expression étonnée, naïve, orgueilleuse. Rires, cris, bruit du jazz. Lorsque s'ouvre la porte, on entend le bruit des mains qui battent, des hurlements et des coups de sifflet sauvages. Le garçon qui lisait un journal de courses, le jour où Anne est entrée pour la première fois au Willy's Bar, apparaît, accueilli par une tempête de cris ivres. Le patron appelle en riant :

— Hep, Luc ! Ça va, mon vieux ?

Il répond : « Ça va » en souriant.

Une petite courtisane passe, les cheveux défaits autour de son visage en sueur, et riant trop fort. Elle crie, et tout le monde reprend sur l'air des lampions :

— La Nouba ! La Nouba !

Un tumulte de voix, de rires, de visages, de bouches qui remuent dans un mouvement de paroles et de baisers. Ils se lèvent, gagnent la porte, la rue, envahissent les autos. En passant, l'Argentin suivi d'Anne frappe sur l'épaule de Luc.

— Eh, vieux, tu viens ?

Luc secoue la tête.

— Impossible, je suis fauché, mon vieux…

L'Argentin :

— Qu'est-ce que ça fait ? C'est moi qui paie.

Encore des rires de femmes grises et un tourbillon indistinct d'appels et de chansons. Les autos partent ; les voix jeunes et cassées des filles chantent, et les refrains de Montmartre sont repris par les hommes, avec des accents étrangers : espagnol, américain, roumain : ils sont tous ivres, empilés sur les genoux les uns des autres ; Anne met sa joue contre la vitre avec un geste instinctif de recul et de défense ; dans la même voiture, un peu plus loin, Luc bâille. Il suit des yeux, avec une sorte de nonchalante curiosité, la mêlée obscure des corps énervés dans l'ombre. Le jet de lumière d'un bec de gaz éclaire brusquement une longue jambe de femme découverte jusqu'au genou ; elle se balance avec un mouvement doux et rythmé ; Luc lève la tête, voit le visage d'Anne ; tandis que la voiture roule plus loin, avec son chargement d'ivrognes et de filles, ils se regardent, puis Anne baisse les paupières, et Luc se détourne. Des cris indistincts ; des lumières passent ; l'ombre épaisse, puis, de nouveau, avec une sorte de pitié, d'étonnement, de sympathie, Anne et Luc se regardent.

Vision brève de cabarets de nuit à cette heure du fin matin où tout le monde est ivre. Un vieil homme, une sorte de solennel notaire de province avec un habit noir aux basques immenses, danse sur la table, coiffé d'un bonnet de papier rose. Une grosse Américaine agite des bras de bouchère, énormes, couverts de poudre qui colle par plaques, et lance des boulettes de coton dans le cou des danseurs ; une autre roule sa tête avec une expression langoureuse sur l'épaule d'un homme à demi endormi, mélancolique, à barbiche rare et grise, en vêtements de deuil. Ailleurs, deux femmes tentent en vain d'aguicher une tablée d'hommes à lunettes, aux figures brutales et maussades. Ce sont deux créatures d'un âge indéterminé, déguisées en petites filles ; l'une a des cheveux blonds, peignés en boucles et retenus par un grand nœud, et un nez énorme, bourgeonnant, comme ceux des cochers de fiacre des anciennes revues, et l'autre tire avec affectation ses chaussettes sur ses mollets gras et mous, dont la chair oscille légèrement. Les serpentins, les boules de coton volent et forment sur la piste du dancing un tas poussiéreux de papier déchiré, de trompettes en carton écrasées, de poupées d'étoffe que les danseurs repoussent à coups de talon indifférents. Musique de jazz ; dans une sorte de froide frénésie, le bruit, le charivari des crécelles, se mêlent des claquettes de bois, et le grelot de petits tambours de cotillon.

Il ne reste plus qu'Anne, Luc et l'Argentin. Anne se laisse caresser les mains, baiser le visage ; elle boit sans s'arrêter. À mesure que la nuit avance, le visage d'Anne semble plus vieux, épuisé, amer ; les yeux seuls gardent une espèce d'innocence. Luc, sombre et silencieux, regarde l'Argentin sortir de son portefeuille des billets en paquets froissés ; il les brandit, crie :

— Qui en veut ? Il y en a pour tout le monde !... Vive Paris !...

Et il en jette aux garçons, aux grooms, au violoniste, qui maintient un instant son instrument sous le menton et de la main restée libre ramasse l'argent sur le tapis, puis se relève, recommence à jouer, incliné vers une grosse femme, violemment fardée, comme s'il lui versait dans l'oreille une huile précieuse.

C'est le matin. La rue. Une femme offre des violettes, répète avec indifférence :

— Fleurissez-vous, les amoureux…

Ils demeurent tous les trois debout sur le seuil tandis que la voiture s'avance. Anne, les bras chargés de poupées, grelotte sous un mince manteau. L'Argentin semble dégrisé ; il regarde Anne à la dérobée. L'auto s'arrête devant la porte. Il pousse Anne à l'intérieur, monte derrière elle et ferme brusquement la portière ; elle claque presque sur les mains de Luc. Il y a une espèce de courte lutte silencieuse entre les deux hommes qui s'efforcent cependant de sourire. Luc monte. L'Argentin jure tout bas :

— *Hijo de puta.*

La voiture part. Immédiatement, l'Argentin se jette sur Anne ; de ses faibles poings crispés, elle tente en vain d'arracher l'homme qui pèse sur elle et l'écrase. Un bruit d'étoffes déchirées, un gémissement :

— Vous me faites mal… laissez-moi…

Luc, les dents serrées, brusquement, bondit.

— Laisse-la, espèce de brute !

— Non, mais ?… De quoi te mêles-tu ?…

Luc assène des coups furieux sur la vitre.

— Arrêtez ! Arrêtez ! Nom de Dieu !...

Enfin la portière s'ouvre, il saute à terre en entraînant Anne. Ils sont seuls dans la rue vide. Anne fait quelques pas, puis tombe sur un banc, cache sa figure dans ses mains. Luc, debout, la regarde. Silence. On entend des coups de klaxon très loin, les premiers tramways qui passent, le pas d'un agent dans la rue voisine. Le soleil est levé ; les trottoirs et les maisons sont roses. Luc dit :

— Venez, je vais vous reconduire.

Ils commencent à marcher très lentement. Des concierges lavent les portes, les petites voitures des laitiers passent ; on entend le bruit léger de leurs boîtes entrechoquées et le claquement vif des talons d'Anne qui sonnent sur le trottoir. Anne sourit, respire le vent. Luc dit :

— C'est bon, n'est-ce pas ?

— Oui.

— Quel âge avez-vous ?

— Dix-sept ans.

— Qu'est-ce que vous venez faire là-dedans, mon Dieu ?

— Et vous ?

Il rit.

— Moi, je suis vieux.

Ils se regardent. Il dit d'une voix différente :

— Moi, je suis un homme, et je n'ai pas

le sou. Alors, là-dedans, je peux à peu près gagner ma vie, je bricole, je vends des voitures, je fais toutes sortes de petits métiers, de petites saletés, par-ci, par-là… Alors je gagne quelques billets, je les perds aux courses, et le mois suivant ça recommence…

— Vous n'avez pas de famille ?

— Non. Personne, heureusement.

Il prend le bras d'Anne pour l'aider à marcher.

— Vous êtes bien la fille d'Éliane ?

Elle incline la tête sans parler, les sourcils froncés. Il hésite.

— Je crois… je crois que c'est une bonne fille… Comment vous laisse-t-elle là-dedans, vous, une gosse ?

— C'est moi qui l'ai voulu. J'étais en province chez ma tante. Je me suis enfuie. Mais je… je m'imaginais…

Elle se tait. Il dit doucement :

— Autre chose, hein ? Pauvre petite…

Elle semble lasse ; elle marche plus lentement, plus lourdement, en s'appuyant à son bras. Un taxi passe.

— Vous êtes fatiguée ?

Elle fait signe que oui. Il siffle : « Hep ! » L'auto s'arrête. Ils montent. Anne, à demi endormie, laisse tomber sa tête sur l'épaule de Luc, ferme les yeux. Doucement, involontairement, il avance les lèvres, puis hésite, respire sans la baiser la joue d'Anne, touche du bout des doigts avec précaution, comme une fleur, les paupières, les cheveux, la chair d'Anne. Devant la maison, il l'aide à descendre, lui prend la main. Avec une sorte de coquetterie naïve, elle lisse et arrange ses cheveux défaits ; il la regarde, dit brusquement :

— Allons, adieu.

Il lui serre la main. Elle murmure :

— Merci, monsieur.

— Oui. Mais j'ai fait une sottise. Demain, vous penserez : quel maladroit !

Elle a un brusque mouvement de recul. Il la retient par la main.

— Ne vous fâchez pas. On se reverra ?

— Si vous voulez.

— Je veux. Mais c'est aussi une sottise probablement… Quand ? Demain ? Je peux venir vous chercher demain ? Vous n'avez pas encore donné de rendez-vous à l'autre ? Non ? Alors, demain cinq heures ?

Anne murmure : « Oui », et s'enfuit. Il revient vers le taxi, regarde le compteur avec une grimace, puis hausse les épaules, paie et s'en va.

L'appartement d'Éliane. La clef tourne doucement dans la serrure ; la porte est refermée sans bruit, avec une sorte d'instinctive précaution ; Anne s'arrête devant la chambre vide d'Éliane, écoute un instant, soupire et s'éloigne.

Maxim's. Quelques hommes regardent en riant deux femmes qui se querellent, Éliane et une rousse au visage dur et fardé. Éliane, brusquement, saisit un verre de vin sur la table ; le maître d'hôtel se précipite, lui arrête le bras ; la femme rousse crie, avec des notes hystériques dans la voix ; on l'emmène. Éliane reste seule. La tenancière du lavabo, une petite femme en noir, avec un visage doux et paisible, une perruque à boucles, s'avance doucement, la prend par les épaules.

— Allons, allons, madame Éliane, il faut être raisonnable, qu'est-ce qui vous prend, voyons ?

Éliane, effondrée, le visage dans ses mains, sanglote ; elle l'aide à se soulever.

— Venez avec moi, je vais vous donner un peu d'eau. Si c'est Dieu permis de se mettre dans des états pareils pour une traînée comme ça… Mais qu'est-ce qu'elle vous a fait ?

— Ah, est-ce que je sais ?

— Mais qu'est-ce que vous avez donc, ce soir ?

Elles sont assises derrière le paravent qui sépare le lavabo de la cuisine ; les garçons passent avec des bouteilles de champagne. Des voix indifférentes crient : « Vestiaire n° 7. » Éliane repousse avec impatience le verre qu'on lui tend.

— Non, non, laisse-moi, je n'ai besoin de rien.

Ses larmes coulent sans qu'elle les essuie. De temps en temps, elle secoue la tête avec une expression de souffrance et de colère.

— Vous étiez bien sérieuse jusqu'à présent, pourtant ?... Dire que je vous donnais toujours en exemple !... Madame Éliane, en voilà une qui sait mener sa barque... et puis, v'lan ! comme les autres !... Hein ? Je ne me trompe pas ?... Vous pouvez me le dire, allez... J'en ai connu... Ah, ma pauvre petite... Un béguin ? Allons, allons, tout ça passe...

Éliane murmure d'une voix torturée :

— Tais-toi, je t'en supplie... Écoute. Tu n'as pas un peu de...

Elle fait le mouvement d'aspirer de la cocaïne sur sa main étendue.

— C'est ça qu'il me faudrait...

— Oh ! madame Éliane, il ne reste pas ça, vous entendez ?...

Elle fait claquer son ongle sur ses dents.

— On a arrêté Ibrahim hier. Je pourrai vous en avoir pour demain soir.

— Ah ! c'est maintenant qu'il m'en faudrait, maintenant, je suis si malheureuse, si tu savais...

— Mais quoi ? Mais qu'est-ce qu'il y a ? Des fois, on a des mots, et puis on se raccommode... Quand on s'aime bien... Je parie que c'est une jeunesse... Hein ?...

Éliane secoue la tête.

— Oh, vous pouvez bien le dire, allez... c'est une jeunesse ?...

Éliane répète à voix basse :

— Oui... c'est une jeunesse...

Le lendemain. Le lac du bois de Boulogne. Un dimanche. Une belle journée de printemps, chaude et ensoleillée. Le frémissement des feuilles. Le bruit des rames qui frappent l'eau. Les cris des oiseaux. Les cygnes plongent le cou et ramassent des croûtons de pain. Des embarcations chargées de femmes, d'enfants, passent. Les hommes ont enlevé leurs vestes, et on voit de bonnes figures heureuses, en sueur. On entend : « Ne te penche donc pas comme ça, Émile !... » et « Oh, maman, regarde les petits canards... » « Fais attention, Louise, ta robe trempe... »

Dans une barque, Luc et Anne. Il rame plus vigoureusement, se dégage des bateaux qui l'entourent. Quelques-uns le heurtent, et les barques repoussées dansent ; l'eau saute ; des rires, des cris de femmes. Des jeunes gens appellent :

— Eh, là, les amoureux, vous êtes bien pressés !...

Ils sont loin maintenant, sur un bras plus large du lac. Des branches trempent dans l'eau. Luc demande :

— Vous ne savez pas ramer ?

— Non.

— Que faisiez-vous donc à la campagne ?

— Ce n'était pas la campagne, mais la province.

— Je vois. Sinistre, hein ?

Elle dit brièvement :

— Assez.

Un silence. Il repose les rames, et on entend l'eau s'égoutter avec un petit bruit léger. Elle dit :

— C'était affreux... Ces longues, longues journées... vides... et puis cette femme, ma tante... méchante... hypocrite... Je ne pourrai jamais lui pardonner, et à ma mère non plus, je crois...

Luc hausse les épaules.

— On oublie. Et puis c'est la vie... ce n'est pas plus drôle ailleurs, vous savez... Moi, je...

Il s'arrête, rêve un instant, dit :

— Le soleil se couche... Il faut rentrer... Il fait froid en cette saison sur le lac...

La barque s'éloigne. D'autres se hâtent. Les hommes ont leurs vestons jetés sur les épaules. Un vent vif ride l'eau. Des nuages passent. C'est le couchant. Le soir. Les oiseaux s'envolent avec des cris différents, perçants, et tristes comme des appels. Au loin, on entend : « Ohé, ohé, vous rentrez ? Et vous ? Il ne fait pas chaud, hein ? » – « Non. Que voulez-vous ? Ce n'est pas encore le vrai printemps. »

Le lac, désert, paraît plus large, tranquille, endormi. On entend distinctement les bruits mystérieux de l'eau ; un floc léger ; un poisson plonge, un brusque frémissement d'ailes comme une soie déchirée : un oiseau s'abat ; très loin, un faible cri, et le petit clapotement de l'eau court sous les branches. À gauche, derrière le réseau d'arbres, les premières autos allumées passent sur la route, brillent un instant, s'éteignent. L'image du lac s'efface. C'est la foire aux portes de Neuilly. La foule s'écoule lentement, aveuglée par le dur éclairage. Des enfants sont juchés sur l'épaule des grandes personnes. Les boniments des forains. « Par ici, messieurs et mesdames… et qui en veut ? qui en demande ? » Un cuisinier en plein vent fait des gaufres. Cris dans la foule. « … par ici… ohé, ohé, c'est la cage aux lions… Eh, les enfants, gare, ne nous quittez pas… » Des appels. « … Bébert ! Lili ! », un piétinement, une sorte de grondement scandé. Devant la baraque de tir, des coups de feu, des rires énervés de femmes ; des enfants passent en soufflant dans des mirlitons de papier. Partout des musiques bruyantes qui jouent chacune des airs différents, et le grand manège des chevaux de bois à deux étages, avec ses traîneaux et ses chariots peints, tourne et s'élance.

Luc et Anne passent ; ils sont serrés l'un contre l'autre ; ils marchent lentement ; on les bouscule, des hommes se retournent ; ils semblent ne rien voir. Luc demande :

— Vous êtes fatiguée ? Vous voulez rentrer ?

— Oh, non, qu'est-ce qu'il y a par là ?

— Je ne sais pas. Allons voir.

Ils se perdent dans la foule. Un marchand, son éventaire au dos, agite une crécelle, crie :

— Le plaisir !... Voilà le plaisir, mesdames...

Les bruits de la fête s'éloignent. La musique faiblit et cesse. Dans une rue calme, Luc et Anne sortent du métro. Anne rit.

— J'ai la tête qui me tourne. Comme je vous remercie.

— Ah, si j'étais riche, je vous aurais emmenée ailleurs, dans un beau restaurant à la campagne...

— Je ne me serais pas amusée davantage.

Ils marchent un instant en silence. Il fait nuit. Sur un banc, un homme et une femme s'embrassent. Ils sont confondus en un bloc obscur, immobile ; on ne distingue pas leurs traits. Luc dit, la voix un peu assourdie :

— Il fait bon, n'est-ce pas ? Quelle belle nuit…

Anne répète doucement :

— Oui, c'est une belle nuit…

Ils vont plus loin. Et d'autres couples enlacés passent ; une petite auto, les phares chargés de grands bouquets de fleurs des champs apparaît ; elle est remplie de jeunes gens, de jeunes filles qui chantent. Luc dit :

— C'est dommage de rentrer… On traînerait toute la nuit par les rues, n'est-ce pas, Anne… Regardez-moi… Pourquoi détournez-vous les yeux ?

Anne hausse les épaules avec une sorte de coquetterie et d'innocence. Il lui saisit le bras, la serre contre lui, la regarde, puis, brusquement, la repousse, dit avec un peu de gêne :

— C'est moi qui ai la tête tournée, je crois… Ah, si j'étais sage… Il y a longtemps…

Il fredonne :

— Adieu, mademoiselle…

— Pourquoi ?

— Ah, pourquoi ?

Il détourne un peu la tête, achève avec effort :

— Qu'est-ce que je peux vous donner ?… Je suis pauvre… J'ai une vie… difficile… Alors, une nuit ? Comme l'Argentin ? Avec l'argent en moins… non…

Sur chaque banc, à présent, il y a un couple enlacé, immobile dans l'ombre. Luc s'arrête.

— Anne, ma chérie, comme tu me plais...

Il l'attire contre lui, lui baise violemment la bouche.

L'image s'éloigne. On voit la rue endormie, les boutiques avec leurs tabliers de fer baissés, et, sous les réverbères allumés, de dix pas en dix pas, des hommes et des femmes qui s'embrassent.

Devant la maison d'Anne. On les voit à peine dans l'ombre. On entend la voix d'Anne étouffée, tremblante :

— Gardez-moi, je vous en supplie ! Qu'est-ce que vous voulez que je devienne ? Je suis malheureuse, je suis seule, j'ai peur...

Il la repousse doucement.

— Va-t'en, va-t'en, Anne.

Elle supplie.

— Mais quand est-ce que je vous reverrai ?

— Demain.

— Où ?

— Dans le bistro, au coin du quai, si tu veux, comme aujourd'hui.

L'image s'efface. Dans l'antichambre, Éliane attend ; elle frotte nerveusement avec un tampon de ouate le fard sur sa figure. Anne entre. Elles se regardent sans parler. Anne va passer ; sa mère l'arrête.

— D'où viens-tu ?

Anne, un peu pâle, mord ses lèvres sans répondre.

— Tu ne veux pas me dire ? Tu crois que je ne sais pas ? L'Argentin, hein ? Et te voilà bien fière... Tu te vois déjà couverte de bijoux, je parie... Ah, ma pauvre fille... Tu ne connais pas encore la vie, va... Tu en verras encore... Et de la misère... Et des larmes... Et ne viens pas me faire des reproches après... Moi, j'ai fait tout ce que j'ai pu... comme une imbécile que j'ai toujours été... Pourquoi me regardes-tu comme ça ? Par moments, on dirait que tu me détestes... Pourquoi ?... Qu'est-ce que je t'ai fait ?... Mais confie-toi, dis-moi au moins... Je puis t'aider, te conseiller... tu es une enfant... Aie confiance en moi, au moins... Je n'ai pas mérité ça... Anne...

Anne dit mollement :

— Il n'y a rien à dire...

— Ah, tête de bois ! Eh bien, va, fais ce que tu veux... Après tout, je suis bien bonne de m'en faire... Encore une malheureuse de plus... qu'est-ce que ça fait ? Hein ? Si je n'étais pas ce que je suis, c'est dans une maison de correction que je te fourrerais, tu entends ? Et je ne veux pas que tu me regardes comme ça...

Anne, brusquement, crie :

— Mais laissez-moi, pourquoi est-ce que

vous me tourmentez ? Qu'est-ce que j'ai fait de mal ? Vous m'avez abandonnée toute ma vie… Quand on a un enfant, on le garde, on l'élève…

Éliane hausse tristement les épaules.

— Vous n'aviez qu'à travailler, et, alors, je vous aurais aimée et respectée… Mais maintenant, ce serait trop commode… Laissez-moi faire ma vie comme je veux, vous entendez ?…

— Mais c'est toi-même, c'est ta vie que tu perds, malheureuse…

— Ça m'est égal, ça ne vous regarde pas…

Éliane a un mouvement emporté, puis se ravise, dit avec lassitude :

— Eh bien, tant pis, après tout ! Plus tard, tu comprendras, et tu regretteras ce que tu me dis aujourd'hui… Je ne l'ai pas mérité… Et, en attendant, j'ai besoin de toi. Tu m'as dit une fois que tu avais soigné ta tante quand elle a eu sa pneumonie. Tu sais poser des ventouses ?

— Oui, naturellement.

— Tu veux venir avec moi chez Ada ? Tu la connais ? C'est une copine du bar. Elle est très malade. Je lui en ai mis hier, mais je ne sais pas faire ça, je lui ai fait mal… Veux-tu venir ?

— Oui, volontiers.

Chez Ada.

Une pièce sombre ornée de cartes postales

illustrées, disposées en éventail, et sur les vieilles affiches des murs, l'image d'une femme vêtue de jupons bouffants, rouges, doublés de ruches, qui lève la jambe : bas noirs, grands chapeaux empanachés. En lettres énormes : Mademoiselle Ada, chanteuse étoile du grand théâtre de Saint-Étienne... Casino d'Étretat... Montrouge-Palace... 1910-1911...

Ada est assise sur le lit ; Anne, agenouillée, lui pose des ventouses ; on voit le dos nu d'Ada, et quand elle fait un mouvement, et que la lumière tombe sur elle, toutes les lignes du squelette apparaissent sous la peau ; les cheveux courts, ébouriffés, lui font par-derrière une tête fine de jeune garçon ; elle se tourne lentement ; le visage semble mangé, petit comme le poing, le nez pincé et les dents découvertes des chevaux morts. Anne la regarde avec effroi. Elle ne le remarque pas, essaie de dire merci et, immédiatement, commence à tousser, la figure congestionnée, les yeux agrandis d'angoisse.

Anne dit :

— Il ne faut pas parler...

Ada agite les mains.

— Non, non, ça ne fait rien...

On entend sa respiration sifflante.

— C'est bête, mon Dieu... Je ne sais pas ce que j'ai à tousser comme ça... J'ai eu un gros rhume, c'est vrai, mais il y a longtemps que c'est passé... Vous êtes trop gentilles, ta mère et toi, de te donner tant de peine.

— Mais si, il faut vous soigner, c'est un peu de bronchite, que vous avez eu... Où avez-vous attrapé ça ?

— Ah, c'est le soir, sûrement, on est là dans les restaurants où il fait si chaud, et puis on sort... la pluie, un courant d'air, et ça y est... Mais ce n'est rien. J'ai toujours eu la poitrine solide... Et ça va vraiment mieux, je pourrai me lever bientôt... Et ça reprendra, la bonne vie... les bonnes parties... Et le Willy's Bar, et tout ça... Ils vont bien, tous ? La mère Sarah est venue me voir la semaine dernière... Dis donc, Éliane, elle est toujours avec Bobby... Il est méchant pour elle, une vraie gale... elle m'a montré ses bras couverts de bleus, et puis elle me dit comme ça : « Crois-tu, hein ? qu'il m'aime ? » Si on peut être poire à ce point... Seigneur...

Éliane lui touche doucement l'épaule.

— Écoute, tu parles trop...

— Mais non, ça me fait du bien. Je m'ennuie toute seule, toute la journée, tu n'as pas idée... Quand on est habitué comme nous à toujours être avec des copains, à rigoler quoi, c'est fou ce qu'on peut s'ennuyer seule... Pourtant, j'ai le caractère plutôt gai, n'est-ce pas ? Eh bien, ça me fiche des idées noires… Je t'assure… Je pense à des choses…

Éliane dit doucement :

— Il ne faut pas, ma pauvre vieille…

— Ah, je sais bien…

Elle se tait, met sa main en écran devant son visage.

Anne demande en étouffant instinctivement sa voix :

— La lumière vous gêne ?…

Un petit silence.

Ada murmure :

— Un peu…

Anne pose sur la lampe un linge, puis commence à ranger ses ventouses.

Éliane prend une chaise, s'assied près du lit en s'efforçant de rire.

— Tu as fini de t'énerver ? Tu vas te taire un peu à présent, et je te raconterai tous les potins, tu veux ?

Ada se soulève sur un coude, dit avidement :

— Oh oui, raconte… Je m'ennuie tant de tout ça, si tu savais…

— Eh bien, Hubert a plaqué Maud…

— Non ?

— Si. Oh, il y a longtemps que ça couvait. Alors, l'autre jour, figure-toi, elle lui a dit qu'elle attendait son ami, tu sais, le vieux, marié, de Roubaix, qui vient deux fois par mois… pas le gros… je sais à qui tu penses… non, l'autre… un vieux, très gentil, très sérieux… Naturellement, Hubert qui se méfiait ne fait ni une ni deux, il s'amène au milieu de la nuit. Et qu'est-ce qu'il trouve ? Devine…

— Je ne sais pas, moi, Georges ?…

— Non, mieux que ça ! Le fils du concierge. Une espèce de grand blond, fadasse… Je l'ai vu une fois qui faisait les escaliers, quand je suis allée la voir… une horreur…

— C'est pas vrai ?

— Je t'assure.

Ada rit.

— C'est trop drôle…

Anne s'est éloignée ; elle est debout contre la fenêtre ; elle regarde la petite cour humide et profonde.

Ada soupire.

— Ce sont toujours les plus rosses qui ont de la chance, hein ? C'est pas comme moi… Je n'étais pas laide, pourtant… Et je n'aurais pas demandé mieux que d'être sérieuse… Mais les hommes n'aiment pas ça…

Éliane allume une cigarette, dit pensivement :

— Oui… ils ont toujours peur d'être embobinés… Alors, ils tombent sur des rosses qui les font marcher. C'est bien fait.

Ada dit d'un air résigné, paisible et mélancolique :

— C'est aussi une question de chance... Il y en a qui faisaient les malignes et qui avaient tout pour réussir, la beauté et le chic, et tout... et qui plaisaient aux hommes... et puis, on ne sait pas pourquoi... elles dégringolaient comme les autres... C'est une question de chance...

Elle se tait.

Anne semble écouter comme malgré elle, avec une sorte de fascination terrifiée...

Un petit bistro au coin d'une rue calme, près de la Seine.

Des ouvriers boivent autour du comptoir. L'horloge marque quatre heures et demie. Anne est assise dans un coin ; elle regarde fixement sans les voir des journaux illustrés sur la table ; deux bourgeois jouent aux échecs ; on entend le petit bruit des pièces, glissées sur le bois. Dans le fond, deux ouvriers ivres font marcher le piano mécanique ; une vieille mélodie résonne, criarde et grinçante. Quand elle est finie, on les entend dire :

— C'est bien, hein, mon vieux ? on remet ça...

Et la musique reprend. Les aiguilles, lentement, avancent. Le patron rince les verres avec fracas. Un ouvrier, avec une grande animation, raconte à un autre :

— Alors je lui ai dit : mon vieux, ce n'est

pas possible… vous vous foutez du monde… Et la journée de huit heures, qu'est-ce que vous en faites ? Sale bourgeois… exploiteur que j'y dis… Vous voulez mon poing à travers la gueule que j'y dis… Il n'a pas pipé, mon vieux… À la tienne, mon vieux…

Anne attend, en vain.

Chez Éliane. Éliane et Anne viennent de dîner. Il y a des restes de charcuterie dans les papiers gras sur les assiettes. Dans la cuisine, Germaine lave la vaisselle en chantant. Éliane fume et regarde avec chagrin Anne immobile. Enfin, elle dit brusquement :

— Anne !…

Anne tressaille, lève les yeux.

— Qu'est-ce qu'il y a ?

— Rien.

— Tu as du chagrin ?

— Non.

— Tu n'es pas malade ? Il ne t'est rien arrivé ?

Anne frémit, murmure avec impatience :

— Mais rien, rien, je vous assure.

— Tu es triste depuis quelque temps. C'est la mort de la pauvre Ada qui te fait de la peine ?

— Oui.

— Ah, qu'est-ce que tu veux ? Moi aussi, ça me fiche le cafard… Mais c'est la vie, ma pauvre petite…

Anne répète en écho :

— C'est la vie…

— Elle est plus heureuse comme elle est maintenant, va…

— Peut-être…

Un silence. Éliane étend doucement, timidement la main vers Anne. Anne, comme malgré elle, a un brusque mouvement de recul et se lève. Éliane allume une autre cigarette, secoue machinalement les cendres.

— Anne, veux-tu venir avec moi, ce soir ? Il y a Maud qui nous a invitées. Son ami lui a fait cadeau d'une maison à Bellevue… Tu le savais, n'est-ce pas ?

Anne dit distraitement :

— Non, je ne savais pas.

— On pend la crémaillère ce soir… Je ne voulais pas te prendre, mais, après tout… Là ou ailleurs… Et je n'aime pas te voir cette figure…

Un silence.

Anne se tait. Éliane la regarde à la dérobée avec une sorte de timidité, de profonde et douloureuse tendresse.

— Tu veux, mon petit ?

Anne murmure avec effort :

— Non, je n'ai pas envie…

— Mais pourquoi ?

— Je ne sais pas. Je n'ai pas envie…

— Il y aura tout le monde, tous les copains, Nonoche, Louloute, Célia, Luc…

Anne tressaille, hésite, puis dit d'une voix incertaine :

— Eh bien, allons…

La nuit.

Une jolie maison, dont un des côtés surplombe la route ; on distingue vaguement le parc et le bois de Meudon ; le ciel du côté de Paris est éclairé violemment, comme par un projecteur. Le jazz joue derrière une baie illuminée ; l'ombre gigantesque d'un nègre qui gonfle ses joues et tire des sons aigus du saxophone danse sur les vitres. Sur la route apparaît une moto, avec son bruit de tonnerre, et la clarté brutale des phares éclaire la maison ; dans le sabot, une femme dort à moitié ; on ne voit d'elle que son béret blanc et un gros bouquet de coucous ; sur le siège, deux jeunes gens en casquette. Ils s'arrêtent.

— Dis donc, t'as vu ?

— Quoi ?

— Les types, là, ils ne s'en font pas ?…

Ils lèvent la tête, regardent avec admiration ; on voit clairement à travers la vitre la bousculade des danseurs, une fille à demi nue, portée à bout de bras par des hommes saouls.

Les garçons, sur la route, rigolent.

— Hé, dis donc, Julot, elle est rien bath, la poule…

— Tu parles, mon vieux…

— Y en a qui ne s'embêtent pas ? Hein ? T'as vu ? T'as vu ?… Ben, mon colon, t'as pas besoin d'un coup de main ?

Ils échangent des bourrades joyeuses dans l'ombre. Du sabot, une voix ensommeillée proteste :

— On ne va pas passer toute la nuit ici, dis, Mimile ?… qu'est-ce que vous regardez ?

Elle essaie de se hausser, mais le dos des garçons la gêne ; elle ne voit rien, se rassied avec un bâillement, geint :

— Oh, ce que vous êtes embêtants… On rentre, hein ? on rentre ?

Les garçons ne répondent pas. L'un d'eux murmure à voix basse :

— Il y en a qui ont de la veine, tout de même…

Puis, avec un soupir :

— Ah, les salauds…

Quelqu'un s'est glissé derrière les rideaux écartés. Ils voient la figure torturée d'Anne. Elle tord nerveusement ses mains, et son visage semble tellement enfantin et misérable que les jeunes gens disent ensemble avec pitié :

— T'as vu la gosse ?

— Oui. Pauvre fille… Elle n'a pas l'air à la

noce, hein ?... Une jolie poule comme ça, si c'est pas malheureux...

L'un, avec un rire étouffé, met sa main en porte-voix devant sa bouche.

— Hé, mademoiselle, qu'est-ce qu'il y a pour votre service ?... On est deux gars, là, au cœur chaud...

Il parle à voix très basse, mais son camarade intervient avec blâme :

— T'es un cochon, Mimile, tiens...

La fille continue à geindre :

— Mais qu'est-ce qu'il y a, bon Dieu ? Qu'est-ce que vous regardez ?

— C'est une gosse qui pleure.

Elle se hausse, jette un coup d'œil méprisant.

— Penses-tu ? C'est une femme saoule.

La moto démarre.

On entend un bruit de trompettes, et une horde de masques descend en courant l'escalier. Les portes battent ; dans un petit bar obscur, des gens sont étendus, enlacés au creux des divans. Éliane fait signe à un homme qui passe.

— Dis donc, tu n'as pas vu la petite ?

— Si, elle était dans le jardin, je crois qu'elle est partie...

— Ah, bon...

Elle sourit et paraît soulagée. Un beau garçon brun, avec une figure fraîche et avenante, appelle joyeusement :

— Tiens, te voilà, Éliane… Ah çà ! on ne te voit plus nulle part, c'est pas possible, j'ai été hier chez Maxim's et on m'a dit qu'on ne t'avait pas vue depuis quinze jours… Tu es malade ? Tu as une fichue mine…

Elle répond vaguement :

— J'ai eu des tas d'embêtements…

— Pauvre, allons, faut pas s'en faire !… On boit ?

— On boit.

Il s'assied sur un petit coussin, aux pieds d'Éliane, débouche une bouteille de champagne, remplit les verres.

— À ta santé, Éliane…

— À la tienne, Jean-Paul…

Ils boivent, puis le garçon fait un signe.

— Hé, Luc, tu prends un glass ?

Luc, à la hâte, se détourne.

— Qu'est-ce qu'il y a ? Vous n'êtes plus copains ?

— Mais si. Je ne sais pas du tout ce qu'il a, moi… Hé, Luc !…

Luc hésite, puis s'approche ; les rideaux qui dissimulent Anne frémissent.

— Tu ne veux pas me dire bonjour, qu'est-ce qu'il y a ?

Il ne répond pas, prend un verre au hasard, jette le champagne resté au fond, y verse le reste de la bouteille que Jean-Paul tient à la main, boit goulûment. Jean-Paul dit en soupirant :

— C'est la barbe ici, hein ?

— Tu parles... Cette pauvre Maud qui fait sa petite Païva... c'est crevant !...

Jean-Paul donne une tape légère sur l'épaule de Luc.

— Encore du champ's, vieux ? Tu as une figure d'enterrement. Pourtant, tu avais misé sur Frelon II l'autre jour...

Éliane demande :

— Tu as gagné, Luc ?

— Oui.

— Combien ?

— Dix billets, c'est tout...

— Ben, mon Dieu, ce n'est pas mal... Tu avais eu une mauvaise passe...

— Oui, c'est vrai.

Jean-Paul demande en riant :

— Dites-moi, il y a longtemps que je ne vous ai pas vus... Alors, je demande ça pour ne pas faire de gaffes... Vous n'êtes plus ensemble, hein ?

Éliane dit, surprise :

— Mais on n'a jamais été ensemble...

— Oh, par exemple, tu m'avais dit toi-même ?...

Éliane rit.

— Ah, oui, oui, parfaitement, trois nuits

juste, et il y a si longtemps… Je l'avais oublié…

Luc murmure sombrement :

— Moi aussi…

Éliane proteste mollement :

— Quel petit mufle, hein ?

Ils se taisent.

Un peu plus tard, Éliane et Jean-Paul sont partis ; dans la chambre vide, Luc est seul, la tête dans ses mains. Il ne voit pas Anne qui a écarté les rideaux et qui le regarde ; elle fait un effort violent pour retenir ses larmes.

Elle dit doucement, avec calme :

— Luc !…

Il lève la tête d'un mouvement involontaire, ardent, joyeux.

— Mon petit…

Elle est serrée contre lui, dans ses bras. Elle tremble, répète désespérément :

— Luc, Luc, pourquoi n'es-tu jamais venu ? Comme je t'attendais, si tu savais… Pourquoi ? Pourquoi ?

Il ne répond pas ; ils s'embrassent et rient nerveusement, tendrement.

— Tu ne voulais pas de moi ? Pourquoi ?

— Ah, tu sais bien, Anne, je suis un pauvre type… Et je t'aime trop pour ça… une nuit de temps en temps, jusqu'à ce que tu trouves…

Elle lui met la main sur la bouche.

— Tais-toi, tais-toi, ne dis pas ça... Je n'ai pas besoin d'argent... Je ne peux pas voir ces gens, cette vie... j'étais une enfant stupide... je ne comprenais rien... Emmène-moi, seulement, et je serai ta servante... je ne te demanderai rien... je n'ai besoin de rien... je suis si seule, si malheureuse...

Il soupire.

— Et moi... Ah, ma chérie, est-ce que c'est possible ? Être heureux, être tranquille, avec toi ? Anne ?

Il répète doucement :

— Anne... comme j'aime ton nom... comme je t'aime, si tu savais...

L'image de leurs bras enlacés, de leurs lèvres jointes, semble s'effacer dans l'ombre, et le murmure étouffé, amoureux, se transforme en un rire d'Anne joyeux et triomphant. Ils sont assis tous les deux sur une espèce de divan bas, aménagé en lit.

C'est le minuscule appartement de Luc ; la pièce unique, un petit meublé, poussiéreux, sert visiblement de chambre à coucher, de salle à manger et de salon, mais il y a un petit bar tout neuf dans un coin. Sur une chaise sont jetés pêle-mêle les vêtements de Luc, les bas et la robe d'Anne. Elle est habillée du peignoir de Luc ; ses jambes sont nues et sa gorge. Luc semble transformé ; il baise les mains, les fins poignets d'Anne.

Il murmure avec fièvre :

— Anne, tu es heureuse ? Tu ne regrettes rien ? Regarde-moi, souris-moi. Dis-moi comme tout à l'heure : mon ami... c'est une telle caresse dans ta bouche...

Elle murmure gravement, tendrement :

— Mon ami...

— Anne, ma petite, ma chérie, quelle brute j'ai été... figure-toi, jusqu'à la dernière minute je pensais : « Elle m'a menti, ce n'est pas possible que je sois le premier... » Mon chéri, tu ne regrettes pas ? Non ? Tu verras... je t'aimerai... je te ferai une vie douce, je te gâterai... je travaillerai, je te rendrai heureuse, je le jure.

Elle lui met vivement la main sur la bouche.

— Tais-toi... je ne m'occupe pas de tout ça, moi... ça m'est bien égal... avec toi, je serai toujours heureuse..., je ne pensais pas qu'on pouvait être heureuse comme ça.

Il dit plus bas avec une sorte de timidité soudaine :

— Anne... je veux t'épouser...

Elle hausse doucement les épaules.

— Je veux te garder toujours... j'ai trop peur que ces gens, ce milieu ne te reprennent...

— Ah, il n'y a pas de danger, je te jure...

— C'est vrai, mon amour ? Pour moi non

plus, va… Au fond, je n'étais pas né pour ça, vois-tu… Il faut avoir ça dans le sang pour être heureux là-dedans, moi, je suis seulement un malheureux, un paresseux… Si je n'avais pas été seul de si bonne heure, je pense que j'aurais été différent… Mais je n'avais personne à aimer…

Il parle à voix basse avec une exaltation visible, une fièvre joyeuse ; elle lui caresse les cheveux, touche ses paupières du bout des doigts.

— Luc, je t'aime…

Elle lui met les bras autour du cou ; enlacés, ils retombent doucement en arrière.

Un peu plus tard. Luc est habillé, mais Anne porte encore la robe de chambre de son amant et traîne ses pieds nus au fond de grandes mules d'homme trop larges pour elle. Il y a des fruits et du vin sur la petite table. Luc semble soucieux ; il prend son chapeau, le brosse d'un revers de main.

Anne murmure :

— Tu reviendras vite ?

— Oui, mon chéri. D'abord, je vais passer chez la mère Sarah bazarder mon épingle de cravate. Elle en donnera bien six ou sept cents… elle en vaut deux mille… Et puis, je vais m'occuper immédiatement d'une place… J'aime mieux faire ça tout de suite parce que…

Il s'interrompt, fait un mouvement des lèvres.

— Enfin, j'aime mieux... Mais ça ne sera pas trop difficile, je pense... je connais bien le petit Lapeyre, des Établissements Lapeyre et Cie ; il me trouvera bien une place dans les bureaux pour commencer... Nous n'avons pas besoin de grand-chose, n'est-ce pas, Anne ?

— Non, Luc, seulement l'un de l'autre... D'ailleurs, moi aussi, je travaillerai, et avec joie, va...

Il lui prend la tête à deux mains, attire son visage, le regarde profondément dans les yeux.

— Anne, tu n'as pas peur ?...

— Non, de quoi veux-tu que j'aie peur ? Je suis courageuse, tu verras.

Elle l'accompagne jusqu'à la porte, le regarde partir, écoute son pas dans l'escalier, puis elle range la pièce, elle chantonne à mi-voix. Un coup de sonnette ; elle sursaute, semble étonnée, regarde l'heure ; derrière la porte, on sonne de nouveau ; elle regarde ses vêtements avec embarras. On frappe. Elle entend la voix d'Éliane.

— Ouvre tout de suite, Anne, c'est moi.

Immédiatement, le visage d'Anne change, durcit et semble se figer dans une expression froide et implacable ; elle ouvre lentement la porte ; Éliane entre. Elles se regardent toutes les deux un moment sans parler.

Enfin Éliane murmure avec une sorte de stupéfaction douloureuse :

— Tu es là ? Malheureuse petite... Maud m'avait bien dit que tu étais partie avec Luc... Je ne voulais pas le croire... Je t'ai attendue toute la nuit, Anne...

— Je serais allée chez vous cet après-midi pour vous dire adieu.

— Comment ? Tu es folle.

Anne dit froidement :

— Pourquoi ?

— Tu es allée t'amouracher de ce gamin, de ce vaurien ? Mais vous mourrez de faim, tous les deux, voyons !

— Non. D'abord, il travaillera. Et puis je n'ai pas peur de la pauvreté, moi.

— Pardi, tu ne sais pas ce que c'est.

Anne serre les lèvres sans répondre.

— Je ne te laisserai pas faire une sottise pareille. Tu vas rentrer avec moi, immédiatement.

— Non.

— Non ? Ah, nous verrons bien, par exemple !

Elle fait un mouvement.

Anne crie :

— Non, non, laissez-moi, je ne veux pas ! Vous entendez ! Je ne veux pas ! Je ne vous suivrai pas ! Je mourrai, mais je ne vous suivrai pas ! et vous déteste ! Je vous maudis ! Vous avez fait mon malheur ! Et maintenant que je pourrais enfin être comme tout le monde, heureuse, aimée, vous venez m'empêcher parce que vous êtes jalouse !

— Quoi ?

Elle répète avec emportement :

— Jalouse. Je sais. Je sais bien… Vous avez… vous aussi, vous avez aimé Luc… J'ai entendu chez Maud, cette nuit. J'étais cachée derrière le rideau dans le bar…

Éliane dit tristement :

— Ah ! ma pauvre enfant, si tu savais… Aimer ton Luc… Ah, tu peux le garder, ton Luc, un…

Anne, dressée, les poings en avant, crie :

— Taisez-vous ! Je vous déteste ! vous entendez ? Je vous déteste ! Allez-vous-en !

« Mon Dieu, pourquoi me tourmentez-vous ? Je n'ai pas besoin de vous ! C'était bon quand j'étais petite, quand j'étais seule, malade, que je pleurais des nuits entières sans personne pour m'aimer… Alors, vous auriez pu faire n'importe quoi ! Je vous aurais aimée quand même… Maintenant, je n'ai besoin que de Luc ! et de personne d'autre… »

Éliane recommence avec une sorte de désespoir.

— Anne, viens, allons-nous-en… c'est de la folie… Tu regretteras, tu comprendras demain… comme tu as été égoïste et méchante… Je ne peux pas te laisser gâcher ta vie, voyons… Si tu savais… J'en ai tant vu… Et moi-même… À ton âge… C'est comme ça que j'ai fait mon malheur… quand je suis partie de chez nous… J'avais seize ans… et puis… j'ai failli crever de faim avec toi sur les bras, tu sais… Ah, l'amour, l'amour, ma pauvre petite, si tu savais seulement ce que c'est vite passé… Et la misère, l'abandon, la solitude… Si tu savais seulement, si tu savais… Ah, tiens, j'étais folle quand je me désespérais parce que tu voulais faire la noce. Au moins, jolie comme tu es… Et au fond, c'est tout pareil… Mais ça… Anne, écoute ! Hier, j'ai revu l'Argentin ! Tu te rappelles ? Il est riche et il a le béguin pour toi. Qui sait ? Souvent on commence ainsi, et puis l'homme est pris, et c'est le mariage. Qui sait ? Veux-tu que je lui dise ?… que j'essaye ?…

Anne fait un brusque mouvement, dit très bas, très nettement :

— Je vous en prie, allez-vous-en, vous me faites horreur…

Éliane pâlit, lève la main, comme si elle sentait la douleur d'un coup en plein visage. Elle ramasse lentement son sac et son chapeau qu'elle avait jetés sur la table en entrant et sort. Sur le seuil, elle s'arrête, tourne lentement son visage ravagé et vieilli, murmure avec effort :

— Je n'ai pas mérité cela, ma fille... Je n'ai jamais été une mauvaise mère pour toi...

— Vous ? Vous m'avez fait du mal toute ma vie !

Éliane hausse les épaules de son mouvement résigné, dit avec lassitude :

— Je ne l'ai pas voulu. Et tu me le rends bien à présent. Mais c'est à toi que je pense. Prends garde, Anne. Tu fais ton malheur. Tu seras seule bientôt. Va, tu reviendras chez moi, alors...

Anne serre les dents.

— Jamais !

Éliane s'en va.

Et c'est la nuit, un an et demi plus tard. L'été, la chaleur. Par la fenêtre ouverte brille l'enseigne lumineuse d'un restaurant. On entend le bruit, la clameur cuivrée d'un orchestre installé dehors, au milieu du café. La chambre est seulement éclairée par la lueur qui vient de la rue et par une montre phosphorescente posée sur la table. Anne assise sur le lit allaite son enfant. Elle fredonne machinalement : « Do-do, l'enfant do »... sans quitter des yeux l'aiguille qui marque onze heures et avance lentement.

Parfois, quand l'orchestre joue moins fort, on entend des bruits de pas et de voix dans la rue, et Anne fait un mouvement involontaire pour courir à la fenêtre, mais l'enfant pousse un faible vagissement ; elle se rassied, recommence à chanter d'une voix épuisée : « Fais do-do, Françoise, ma petite fille, fais dodo, tu auras du lolo. Papa est en haut... » Elle s'interrompt brusquement, pousse un cri étouffé : Luc ouvre la porte ; son visage est défait, ses vêtements froissés.

Anne murmure en tremblant :

— Enfin, enfin, où étais-tu ? Tu n'es pas allé au bureau ?

— Comment le sais-tu ?

— J'ai téléphoné, Luc. Il ne fallait pas ? Est-ce que ?... Qu'est-ce qui t'est arrivé ? Qu'est-ce que tu as fait, Luc ?

Elle parle à voix très basse pour ne pas réveiller l'enfant ; elle tient avec d'infinies précautions le petit crâne chauve, pointu, du nouveau-né qui dort doucement, mais ses mains tremblantes s'enfoncent nerveusement l'une dans l'autre.

Luc dit d'une voix sourde :

— J'ai perdu.

— Quoi ? Perdu ? Où ?

— Aux courses. J'ai tout perdu aux courses, Anne.

— Tu as joué ? Mais quand ? Mais avec quel argent ?

Il se tait. Elle continue avec une épouvante croissante :

— Tes mille francs du mois sont dépensés depuis longtemps. Puisque voilà huit jours que nous vivons à crédit et que… Quelqu'un t'a prêté de l'argent ?

Il secoue la tête, dit :

— Non. J'ai pris.

— Tu as…

— Volé, oui. Depuis plus d'un an je prends dans la caisse pour jouer aux courses… Anne, ne me regarde pas comme ça… C'était pour toi, c'était pour la petite, pour manger…

— Combien as-tu perdu ?

— Cent mille.

— Quoi ?

Il répète d'une voix blanche.

— Cent mille…

Et, tout d'un coup, il éclate en sanglots convulsifs.

— Cette place, cette place que j'ai eu tant de peine à trouver… On va me mettre en prison, Anne… Mais tant pis, je l'ai mérité, je suis un malheureux, un misérable… Mais toi ! Et la petite… à la rue… vous allez être à la rue, et à cause de moi qui vous aime plus que tout au monde. Pardonne-moi, Anne, pardonne-moi, pardon… pardon.

Il est à genoux ; il pleure comme une femme ; elle a un mouvement effrayé :

— Tais-toi, je t'en supplie… tu vas réveiller la petite… J'ai eu tant de mal à la faire dormir… je n'ai presque plus de lait.

Il se relève, la regarde avec désespoir, dit tout bas :

— Que faire, mon Dieu ? Que faire ? Anne ? Anne, réfléchis, moi je ne sais plus, je ne peux plus… Je sais bien que je devrais me fiche à l'eau… Mais je n'ai pas le courage… Enfin, ce n'est pas possible, nous sommes jeunes tous les deux, je suis fort, je travaillerai, on aura pitié de nous… On nous avancera cet argent ! Hein ? Tu ne crois pas, Anne ?

Elle lui met doucement la main sur l'épaule ; ses doigts tremblent ; elle lui caresse les cheveux.

— Mais si, mon petit…

Un long silence. L'orchestre éclate de nouveau à deux pas de la fenêtre ; ils tressaillent, se rapprochent, et de leurs mains jointes, du même mouvement, enlacent, protègent l'enfant endormi.

Anne dit :

— Écoute, si tu allais voir Lapeyre ?

— Ah, j'y ai bien pensé, mais il est en Amérique.

— Tu n'as personne, personne, pas de famille, personne ?

Il secoue tristement la tête.

— Des cousins éloignés dont je ne connais même pas le nom. Et c'est demain qu'il faut trouver cet argent, tu comprends, Anne, demain, avant lundi. Autrement, il vaudrait mieux aller tout de suite à la police, tout droit... Et, ma foi...

— Non, Luc, ne dis pas cela, c'est lâche... Écoute, si tu allais voir le patron du Willy's Bar, tu sais bien ? Il est riche, lui... Je me souviens, une fois, il a prêté de l'argent devant moi à un garçon qui venait là-bas. Tu sais, celui qu'on appelait le petit Baron ?

— Oui, il lui faisait souscrire des billets... ce petit... son père était millionnaire... il devait mourir d'un moment à l'autre... Dans ces conditions, moi aussi, je trouverais de l'argent demain... Non, va, il n'y a rien à faire...

Il se tait. Puis, brusquement, il dit :

— Anne ! Et... ta mère ?...

Anne a un sursaut violent, le regarde presque avec haine.

— Non.

— Anne ? Pourquoi ?

— Jamais. Ne me demande pas ça. Et puis, elle ne voudrait pas, elle ne pourrait pas... et puis, non, non, non !...

Luc baisse la tête.

— Alors, qu'est-ce que tu veux ? Il n'y a rien à faire…

Il cache sa figure dans ses mains, l'image s'éloigne, s'efface…

C'est le lendemain. On devine la chaleur atroce ; les volets, dans la chambre d'Anne, sont fermés ; sur le lit, tout habillé, Luc dort. Anne lave les couches de l'enfant, les étend sur une ficelle attachée devant la fenêtre ; l'enfant est couché dans un panier arrangé en lit ; de temps en temps, Anne s'approche et éloigne les mouches qui se posent sur le front de l'enfant. Dehors, des femmes passent, s'interpellent joyeusement : « Quelle chaleur… on va avoir de l'orage, bien sûr… » Anne, accablée, s'arrête un instant, s'approche de la fenêtre, entrouvre doucement les volets et regarde ; en face d'elle, une vieille femme tricote, assise dans la bande d'ombre qui tombe de la porte cochère. La terrasse du café est pleine de gros hommes en chapeau de paille ; ils boivent ; il y a de la glace pilée dans les verres. Anne soupire, puis reprend courageusement sa besogne ; elle rince le linge ; elle relève de son coude nu les mèches de cheveux qui lui tombent sur les paupières ; l'enfant s'agite dans son berceau, commence à pleurer ; elle essuie ses mains pleines de savon, se penche sur le panier, arrange tendrement la petite tête sur le bout d'oreiller, murmure tout bas : « Dodo, allons, dodo, sois sage… il ne faut pas réveiller papa… pauvre papa… » L'enfant pleure plus fort ; elle jette un regard de désespoir sur Luc, qui remue et gémit. Elle prend l'enfant dans ses bras, le berce : il pleure et crie ; elle lui tend le sein qu'il mord goulûment et rejette presque aussitôt ; elle presse de toutes ses forces avec une sorte de rage ce sein vide, mais rien, pas une goutte de lait n'en sort. Elle serre l'enfant contre elle et chuchote : « Ma fille, ma Françoise, pardonne-moi, pardonne-moi !… » Dehors on entend des cris, les jurons d'un charretier qui essaie de faire monter la côte à ses bêtes. Anne, debout contre la fenêtre, regarde ; on entend des cris violents, des claquements de fouet, le grincement des roues, et les chevaux apparaissent ; les maigres bêtes à moitié mortes tendent en avant leurs cous misérables, tandis que, debout sur le siège, le cocher les cingle et rit aux commères. Anne serre désespérément son visage contre la vitre. L'enfant écrase la bouche contre le sein nu, puis détourne la tête en gémissant, et Anne, les lèvres tremblantes, le berce et murmure des paroles indistinctes.

C'est la nuit ; dans l'appartement d'Éliane,

dans sa salle à manger, Anne est assise et attend sa mère ; la pendule sonne une heure ; Anne ne bouge pas, les yeux fixés sur l'aiguille qui avance. Enfin elle entend le bruit de la clef tournée dans la serrure, les pas d'Éliane, une voix d'homme. Elle se lève. Éliane paraît sur le seuil ; elle pousse un cri étouffé, se détourne rapidement, dit quelques mots ; une voix masculine répond avec un accent irrité ; une porte est refermée avec fracas. Éliane reparaît, s'avance vers Anne. Anne dit :

— Je viens vous demander de me sauver...

Elle se reprend, dit :

— ... De nous sauver... mon mari, mon enfant, moi...

Elle achève plus bas, en tordant nerveusement ses mains :

— J'ai besoin d'argent. Si vous ne pouvez pas... si vous ne voulez pas... il ne nous reste plus qu'à aller cette nuit nous jeter dans la Seine... Oh, pour moi, ça me serait bien égal... au contraire, mon Dieu, quel repos... mais ma petite... Écoutez, si vous ne pouvez pas... dites-moi non tout de suite, surtout n'essayez pas de me tromper... il me le faut de suite, tout de suite, avant huit heures, demain matin...

— Combien ?

— Cent mille francs.

— Cent mille francs ?

— Oui.

Elle dit avec une sorte de défi :

— Je ne dis pas que c'est un prêt, que nous travaillerons, que nous vous rendrons... je ne sais rien, rien, rien, et je ne veux pas mentir... Peut-être... ou bien tout cela ne servira à rien, et Luc recommencera... Oui, c'est Luc... il a... il a pris de l'argent qui ne lui appartient pas, mais ce n'est pas pour une autre femme ou quelque chose de semblable, c'est pour nous... pour vivre, pour manger... il gagnait mille francs par mois... et l'enfant... c'est vrai aussi que nous ne savons pas bien nous arranger... On se privait de tout, et puis, un jour, Luc rapportait du caviar pour le dîner et... mais maintenant, maintenant que la petite est là, c'est différent... seulement, c'est la mauvaise chance... vous ne pouvez pas savoir... je suis tout le temps malade... si vous nous aidez, si on est délivrés de ce cauchemar, je mettrai la petite en nourrice, je travaillerai, je suis forte, jeune et... Mais c'est demain, demain... Si je n'ai pas cet argent, Luc sera chassé, arrêté... Ah, mon Dieu, s'il n'y avait pas la petite, je vous jure bien qu'on ne se débattrait pas longtemps, que cette nuit même ce serait fini...

Elle dit plus bas avec effort :

— Je sais bien que j'ai mal agi envers vous

et que vous ne pouvez avoir envers moi que de la haine.

Elle se tait ; elle regarde Éliane ; elle semble la voir pour la première fois.

Elle dit :

— Pardon.

— Je n'ai rien à te pardonner, ma pauvre Anne. Moi aussi, j'ai été coupable autrefois. Combien de fois, quand je te portais, je t'ai souhaité la mort… et après, je t'ai abandonnée, j'aurais dû tout laisser pour toi, travailler. J'aurais dû… Mais la vie est difficile, vois-tu…

— Je sais maintenant.

Elles ne disent plus rien et demeurent l'une en face de l'autre, se regardant profondément. Enfin Éliane se lève, ouvre un tiroir fermé à clef, prend un écrin ; ses mains tremblent si fort pendant quelques instants qu'elle ne parvient pas à l'ouvrir ; elle hausse les épaules avec impatience, jette l'écrin sur la table, dit sans regarder Anne :

— C'est demain à huit heures qu'il te faut l'argent ?

Anne fait un signe.

— Vous pouvez ?

— Oui. Viens avec moi. Nous irons tout de suite chez la mère Sarah. Je ne vois qu'elle capable de me donner l'argent comptant à une heure pareille.

— Vous allez… vendre votre collier ?…

— Oui. Il vaut juste cent mille francs. C'est de la veine, hein ?

Elle se tait, prend un journal, enveloppe l'écrin.

— Allons, viens. Comme tu as mauvaise mine, ma pauvre fille…

— C'est depuis que j'ai eu la petite.

— Ah, oui, c'est vrai, tu as un enfant… c'est drôle… Comment s'appelle-t-elle ?

— Françoise.

Éliane soupire.

— Françoise…

Elle se tait, puis dit d'une voix basse :

— Allons, viens…

L'image s'efface. On entend la voix d'Éliane qui, doucement, répète :

— Françoise…

Puis le nom jeté plus fort, joyeusement :

— Françoise ! Françoise ! Allons, dépêche-toi un peu, ma petite fille…

Une voix d'enfant :

— Je viens, maman !

Le long des boulevards, des baraques du jour de l'An, une petite fille d'une dizaine d'années court au-devant d'Anne. Anne est changée, engraissée ; elle a un air de repos et de bonheur ; elle est habillée simplement et tient des paquets à la main ; la petite fille saute à pieds joints par-dessus une planche, regarde sa mère avec fierté.

— Tu vois, maman, je saute aussi loin que Michel, n'est-ce pas ?

— Oui, oui, mais dépêche-toi, ou le dîner ne sera jamais prêt ce soir.

— On aura de bonnes choses, dis, maman ? Qu'est-ce qu'on aura, dis, maman ?

— Ah, tu ne sauras pas, tu es trop curieuse…

— Oh, si, dis, ma petite maman… et ce gros paquet-là que tu tiens sous le bras, c'est à manger, ou des cadeaux pour Michel et pour moi ?

Anne proteste en riant :

— Des cadeaux ? Et à quelle occasion, je te prie ? Ce n'est pas pour fêter les bonnes notes que vous rapportez de l'école, ton frère et toi, toujours…

— Oh, maman, on ne gronde pas la veille de l'An.

— Ah, tu crois ça, petite masque ?

Elles ont quitté les boulevards ; elles suivent une rue sombre. Françoise se rapproche de sa mère, lui prend la main.

— Je sais bien qu'on ne travaille pas très, très bien, Michel et moi… Mais on est encore petits… Est-ce que tu travaillais bien quand tu étais petite ?

— Très bien.

— Ah ? Et papa ?

— Ah, je ne sais pas, tu lui demanderas.

— Est-ce que vous ne vous connaissiez pas ?

— Mais non.

— Tiens, comme c'est drôle...

Anne rit.

— Pourquoi ?

— Je ne sais pas.

— Tu es une grosse bête, ma pauvre Françoise...

Tout à coup, une porte s'ouvre ; on entend un bruit de disputes, un rire de femmes ivres, des bouffées de musique ; une vieille femme fardée paraît sur le seuil ; elle pousse des éclats de rire stridents de folle ; sur sa joue déchirée, du sang coule ; elle reste là et titube dans sa toilette tapageuse ; elle a des yeux caves et fixes.

Le barman qui l'a accompagnée jusqu'au seuil lui dit à demi-voix, sévèrement :

— Rentrez chez vous cuver votre vin. Et que ça ne recommence pas, hein ? Le patron ne veut pas de scandale ici. Sans ça on vous interdira l'entrée. Vous devriez être reconnaissante qu'on vous donne à manger... Au lieu de ça, vous faites du tort à l'établissement.

Il referme la porte derrière elle ; elle reste debout, crie des injures et rit. Anne l'a aperçue ; elle prend Françoise par la main et traverse rapidement la chaussée ; la petite fille, effrayée, s'est tue. Dans la rue, on voit briller l'enseigne lumineuse du Willy's Bar.

La femme, en chantonnant et titubant, s'éloigne ; elle s'arrête sous le réverbère ; elle a le pas incertain et las des vieilles mendiantes qui errent à l'aventure ; elle semble dégrisée ; elle passe la main sur son front, essuie le sang avec indifférence, puis s'en va plus loin, du même pas hébété. Anne la regarde, clouée sur place.

La petite fille chuchote :

— Qui c'est la dame, dis, maman ? Tu la connais, dis, maman ? Oh ! lâche ma main, maman, tu me fais mal !

Anne, sans répondre, va plus vite, serre la petite contre elle ; la voix de Françoise, curieuse, un peu effrayée, appelle :

— Maman, maman, maman !...

Les voix se sont tues. La rue est vide. Les petites lueurs, pauvres et rares, des réverbères vacillent et se dédoublent dans le brouillard d'hiver, entourées d'un halo léger, doré, tremblant comme les lumières qui brillent à travers des larmes.

COLLECTION FOLIO 2 €

Dernières parutions

5721. Olympe de Gouges	*« Femme, réveille-toi ! » Déclaration des droits de la femme et de la citoyenne* et autres écrits
5722. Tristan Garcia	*Le saut de Malmö* et autres nouvelles
5723. Silvina Ocampo	*La musique de la pluie* et autres nouvelles
5758. Anonyme	*Fioretti. Légendes de saint François d'Assise*
5759. Gandhi	*En guise d'autobiographie*
5760. Leonardo Sciascia	*La tante d'Amérique*
5761. Prosper Mérimée	*La perle de Tolède* et autres nouvelles
5762. Amos Oz	*Chanter* et autres nouvelles
5794. James Joyce	*Un petit nuage* et autres nouvelles
5795. Blaise Cendrars	*L'Amiral*
5797. Ueda Akinari	*La maison dans les roseaux* et autres contes
5798. Alexandre Pouchkine	*Le coup de pistolet* et autres récits de feu Ivan Pétrovitch Bielkine
5818. Mohammed Aïssaoui	*Petit éloge des souvenirs*
5819. Ingrid Astier	*Petit éloge de la nuit*
5820. Denis Grozdanovitch	*Petit éloge du temps comme il va*
5821. Akira Mizubayashi	*Petit éloge de l'errance*
5835. Francis Scott Fitzgerald	*Bernice se coiffe à la garçonne* précédé du *Pirate de la côte*
5836. Baltasar Gracian	*L'Art de vivre avec élégance. Cent maximes de* L'Homme de cour
5837. Montesquieu	*Plaisirs et bonheur* et autres *Pensées*
5838. Ihara Saikaku	*Histoire du tonnelier tombé amoureux* suivi d'*Histoire de Gengobei*
5839. Tang Zhen	*Des moyens de la sagesse* et autres textes
5856. Collectif	*C'est la fête ! La littérature en fêtes*
5896. Collectif	*Transports amoureux. Nouvelles ferroviaires*

5897. Alain Damasio — *So phare away* et autres nouvelles
5898. Marc Dugain — *Les vitamines du soleil*
5899. Louis Charles Fougeret de Monbron — *Margot la ravaudeuse*
5900. Henry James — *Le fantôme locataire* précédé d'*Histoire singulière de quelques vieux habits*
5901. François Poullain de La Barre — *De l'égalité des deux sexes*
5902. Junichirô Tanizaki — *Le pied de Fumiko* précédé de *La complainte de la sirène*
5903. Ferdinand von Schirach — *Le hérisson* et autres nouvelles
5904. Oscar Wilde — *Le millionnaire modèle* et autres contes
5905. Stefan Zweig — *Découverte inopinée d'un vrai métier* suivi de *La vieille dette*
5935. Chimamanda Ngozi Adichie — *Nous sommes tous des féministes* suivi des *Marieuses*
5973. Collectif — *Pourquoi l'eau de mer est salée* et autres contes de Corée
5974. Honoré de Balzac — *Voyage de Paris à Java* suivi d'*Un drame au bord de la mer*
5975. Collectif — *Des mots et des lettres. Énigmes et jeux littéraires*
5976. Joseph Kessel — *Le paradis du Kilimandjaro* et autres reportages
5977. Jack London — *Une odyssée du Grand Nord* précédé du *Silence blanc*
5992. Pef — *Petit éloge de la lecture*
5994. Thierry Bourcy — *Petit éloge du petit déjeuner*
5995. Italo Calvino — *L'oncle aquatique* et autres récits cosmicomics
5996. Gérard de Nerval — *Le harem* suivi d'*Histoire du calife Hakem*
5997. Georges Simenon — *L'Étoile du Nord* et autres enquêtes de Maigret
5998. William Styron — *Marriott le marine*

5999. Anton Tchékhov	*Les groseilliers* et autres nouvelles
6001. P'ou Song-ling	*La femme à la veste verte. Contes extraordinaires du Pavillon du Loisir*
6002. H. G. Wells	*Le cambriolage d'Hammerpond Park* et autres nouvelles extravagantes
6042. Collectif	*Joyeux Noël ! Histoires à lire au pied du sapin*
6083. Anonyme	*Saga de Hávardr de l'Ísafjördr. Saga islandaise*
6084. René Barjavel	*Les enfants de l'ombre* et autres nouvelles
6085. Tonino Benacquista	*L'aboyeur* précédé de *L'origine des fonds*
6086. Karen Blixen	*Histoire du petit mousse* et autres contes d'hiver
6087. Truman Capote	*La guitare de diamants* et autres nouvelles
6088. Collectif	*L'art d'aimer. Les plus belles nuits d'amour de la littérature*
6089. Jean-Philippe Jaworski	*Comment Blandin fut perdu* précédé de *Montefellóne. Deux récits du Vieux Royaume*
6090. D.A.F. de Sade	*L'Heureuse Feinte* et autres contes étranges
6091. Voltaire	*Le taureau blanc* et autres contes
6111. Mary Wollstonecraft	*Défense des droits des femmes* (extraits)
6159. Collectif	*Les mots pour le lire. Jeux littéraires*
6160. Théophile Gautier	*La Mille et Deuxième Nuit* et autres contes
6161. Roald Dahl	*À moi la vengeance S.A.R.L.* suivi de *Madame Bixby et le manteau du Colonel*
6162. Scholastique Mukasonga	*La vache du roi Musinga* et autres nouvelles rwandaises
6163. Mark Twain	*À quoi rêvent les garçons. Un apprenti pilote sur le Mississippi*
6178. Oscar Wilde	*Le Pêcheur et son Âme* et autres contes

6179. Nathacha Appanah	*Petit éloge des fantômes*
6180. Arthur Conan Doyle	*La maison vide* précédé du *Dernier problème. Deux aventures de Sherlock Holmes*
6181. Sylvain Tesson	*Le téléphérique* et autres nouvelles
6182. Léon Tolstoï	*Le cheval* suivi d'*Albert*
6183. Voisenon	*Le sultan Misapouf et la princesse Grisemine*
6184. Stefan Zweig	*Était-ce lui ?* précédé d'*Un homme qu'on n'oublie pas*
6210. Collectif	*Paris sera toujours une fête. Les plus grands auteurs célèbrent notre capitale*
6211. André Malraux	*Malraux face aux jeunes. Mai 68, avant, après. Entretiens inédits*
6241. Anton Tchékhov	*Les méfaits du tabac* et autres pièces en un acte
6242. Marcel Proust	*Journées de lecture*
6243. Franz Kafka	*Le Verdict – À la colonie pénitentiaire*
6245. Joseph Conrad	*L'associé*
6246. Jules Barbey d'Aurevilly	*La Vengeance d'une femme* précédé du *Dessous de cartes d'une partie de whist*
6285. Jules Michelet	*Jeanne d'Arc*
6286. Collectif	*Les écrivains engagent le débat. De Mirabeau à Malraux, 12 discours d'hommes de lettres à l'Assemblée nationale*
6319. Emmanuel Bove	*Bécon-les-Bruyères* suivi du *Retour de l'enfant*
6320. Dashiell Hammett	*Tulip*
6321. Stendhal	*L'abbesse de Castro*
6322. Marie-Catherine Hecquet	*Histoire d'une jeune fille sauvage trouvée dans les bois à l'âge de dix ans*
6323. Gustave Flaubert	*Le Dictionnaire des idées reçues*
6324. F. Scott Fitzgerald	*Le réconciliateur* suivi de *Gretchen au bois dormant*

6358. Sébastien Raizer	*Petit éloge du zen*
6359. Pef	*Petit éloge de lecteurs*
6360. Marcel Aymé	*Traversée de Paris*
6361. Virginia Woolf	*En compagnie de Mrs Dalloway*
6362. Fédor Dostoïevski	*Un petit héros*
6395. Truman Capote	*New York, Haïti, Tanger* et autres lieux
6396. Jim Harrison	*La fille du fermier*
6412. Léon-Paul Fargue	*Mon quartier* et autres lieux parisiens
6413. Washington Irving	*La Légende de Sleepy Hollow*
6414. Henry James	*Le Motif dans le tapis*
6415. Marivaux	*Arlequin poli par l'amour* et autres pièces en un acte
6417. Vivant Denon	*Point de lendemain*
6418. Stefan Zweig	*Brûlant secret*
6459. Simone de Beauvoir	*L'âge de discrétion*
6460. Charles Dickens	*À lire au crépuscule* et autres histoires de fantômes
6493. Jean-Jacques Rousseau	*Lettres sur la botanique*
6494. Giovanni Verga	*La Louve* et autres récits de Sicile
6495. Raymond Chandler	*Déniche la fille*
6496. Jack London	*Une femme de cran* et autres nouvelles
6528. Michel Déon	*Un citron de Limone* suivi d'*Oublie...*
6530. François Garde	*Petit éloge de l'outre-mer*
6531. Didier Pourquery	*Petit éloge du jazz*
6532. Patti Smith	*« Rien que des gamins »*
6546. Barack Obama	*Discours choisis*
6563. Jean Giono	*Refus d'obéissance*
6564. Ivan Tourguéniev	*Les Eaux tranquilles*
6566. Collectif	*Déclaration universelle des droits de l'homme*
6567. Collectif	*Bonne année ! 10 réveillons littéraires*
6579. Honoré de Balzac	*La Vendetta*
6580. Antoine Bello	*Manikin 100*
6581. Ian McEwan	*Mon roman pourpre aux pages parfumées* et autres nouvelles
6582. Irène Némirovsky	*Film parlé*

Composition Nord Compo
Impression Novoprint
à Barcelone , le 12 décembre 2018
Dépôt légal : décembre 2018

ISBN 978-2-07-283438-7./Imprimé en Espagne.